Esperanta -Ĉina Traduko

BONA SINJORINO
선한 부인 美丽女人

Verkisto ： Eliza Orzeszkowa （埃丽莎·奥热什科）

Esperanto ： Kazimierz Bein （由卡齐米日·贝因）

Ĉina traduko ： ZHANG WEI （张伟）

선한 부인 BONA SINJORINO 美丽女人

인   쇄 : 2024년 3월 25일 초판 1쇄
발   행 : 2024년 4월 5일 초판 1쇄
지은이 : 엘리자 오제슈코바 지음
   - 카지미에시 베인 에스페란토 번역
옮긴이 : 장웨이(张伟)
펴낸이 : 오태영(Mateno)
출판사 : 진달래
신고 번호 : 제25100-2020-000085호
신고 일자 : 2020.10.29
주   소 : 서울시 구로구 부일로 985, 101호
전   화 : 02-2688-1561
팩   스 : 0504-200-1561
이메일 : 5morning@naver.com
인쇄소 : TECH D & P(마포구)

값 : 10,000원
ISBN : 979-11-93760-07-9(03890)

Esperanta -Ĉina Traduko

BONA SINJORINO
선한 부인 美丽女人

Verkisto：Eliza Orzeszkowa （埃丽莎·奥热什科）

Esperanto：Kazimierz Bein （由卡齐米日·贝因）

Ĉina traduko：ZHANG WEI （张伟）

Eldonejo Azaleo
出版商 金达莱

BONA SINJORINO

http://www.omnibus.se/inko

ISBN 91-7303-008-2

Bona Sinjorino, Novelo, Tradukis Kazimierz Bein.

[초판] Berlino: Möller & Borel, 1909. 51 paĝoj. (Esperanta Biblioteko Internacia 3.)

[재판] Berlino: Ellersiek & Borel, 1924. 56 paĝoj. (Esperanta Biblioteko Internacia 3.)

[3판] Varsovio: Pola Esperanto-Asocio, 1979.

[e-book] inko@omnibus.se INKO · SE-13542 TYRESÖ · SVEDIO.

http://www.omnibus.se/inko NOVEMBRO 2000

《美丽女人》短篇小说，由卡齐米日·贝因（Kazimierz Bein）翻译。

[初版]　柏林：莫勒与鲍雷尔，1909年。51页。（国际世界语图书馆3号）

[再版]

柏林：埃勒西克与鲍雷尔，1924年。56页。（国际世界语图书馆3号）

[第3版] 华沙：波兰世界语协会，1979年。

[e-book] inko@omnibus.se INKO · SE-13542 TYRESÖ · 瑞典。

http://www.omnibus.se/inko 2000年11月

Enhavo(目次)

Bona sinjorino(美丽女人)

Eliza Orzeszkowa

Bona Sinjorino

BONA SINJORINO

美丽女人

Ĉapitro I

Je la mano kondukata de Janowa, la edzino de la masonisto, la etulo eniris en la belan salonon de sinjorino Evelino Krzycka. Timigita kaj ravita, ĝi trotetis per malgrandaj paŝoj sur la glitiga pargeto kaj estis preta — laŭ la cirkonstancoj —

eksplodi per ploro aŭ per rido. Ĝiaj koralaj lipoj tremis kaj kuntiriĝis por ploro; la grandaj safiraj pupiloj brilis de miro kaj scivolo, la bele skulptitan frunton ĉirkaŭis densaj, densaj haroj de la koloro kaj brilo de malhela oro. Tio estis kvinjara knabino, tre bela. Apud la vastkorpa kaj forta virino, kiu kondukis ŝin, ŝi similis en sia perkala jupo, longa ĝis la tero, blankan papilion kun kunmetitaj flugiloj. Kelke da paŝoj de la sojlo ŝi ektremis de teruro kaj jam malfermis la buŝon por

laŭta krio, sed subite la sento de timo cedis al ĝoja impreso: vivege elŝirante sian manon el la dika mano de Janowa kaj sidiĝante sur la pargeto, ŝi komencis krii ridante kaj karese: Hundeto, hundeto! La unua renkonto, antaŭdiranta en la komenco katastrofon, ricevis tute amikan karakteron.

La malgranda grifono, kiu sin ĵetis al la enirantoj kun akra kaj pepanta bojado, haltis antaŭ la infano, sidanta sur la planko, kaj komencis ĝin rigardi per paro da nigraj, brilantaj, inteligentaj okuloj. La infano dronigis en ĝiaj haroj, blankaj kaj longaj, siajn malgrandajn, ruĝajn manetojn. Sed en la sama momento super la du estaĵoj, koniĝantaj unu kun la alia, haltis virino ĉirkaŭ kvardekjara, brunulino ankoraŭ bela, alta kaj nigre vestia.

La masonistino, klinita ĝis la planko, kisis ŝian blankan manon.

—Helka! Kial vi ne kisas la manon de la sinjorino! Oni rigardu ŝin! Ŝi ludas kun la hundo! Via sinjorina moŝto ne koleru! Ŝi estas ankoraŭ tiel malsaĝa!

Sed sinjorino Evelino tute ne intencis koleri. Kontraŭe, ŝiaj nigraj okuloj, plenaj de fajro kaj kora sentemo, kun admiro estis fiksitaj sur la vizaĝo de la infano, kiun Janowa levis al ŝi per sia dika mano. Helka havis nun larmojn en la safiraj pupiloj kaj per ambaŭ manoj sin tenis je la jupo de Janowa.

—Ni faris, via sinjorina moŝto, por la infano ĉion, kion ni povis, sed kompreneble ĉe malriĉaj homoj ŝi ne lernis la ĝentilecon⋯ Nur nun Dio donacas al la orfo⋯

—Orfo! — ripetis kortuŝite sinjorino Evelino kaj, klinita super la infano, volis kredeble preni ĝin sur la brakojn. Sed subite ŝi reiris. Esprimo de kompato aperis sur ŝia vizaĝo.

—Mizera! Kiel ŝi estas vestita! — ekkriis ŝi — la jupo longa ĝis la tero⋯ Ŝi ekridis.

—Kia dika ĉemizo! Kaj la haroj!⋯ Ŝi havas belegajn harojn, sed ĉu oni plektas la harojn de tia infano!⋯ Kiaj dikaj ŝuetoj kaj sen ŝtrumpoj.

Ŝi rektigis sin, tuŝis per la fingro arĝentan sonorilon, ĉe kies akra longa sono Helka ekridis, kaj Janowa larĝe malfermis la okulojn.

—Fraŭlinon Czernicka! — diris ŝi mallonge al la lakeo, aperanta en la pordo. Post unu momento, per rapidaj paŝoj eniris virino tridekjara, vestita per malvasta vesto, alta, malgrasa, kun malbela kaj velkinta vizaĝo, kun korve nigraj haroj, kunigitaj post la kapo per testuda kombilo. De la sojlo ŝiaj vivaj okuloj ĵetis sur la masonistinon kaj la alkondukitan infanon nuban rigardon, sed kiam ŝi proksimiĝis al sia sinjorino, sereniĝis ŝia rigardo, kaj sur la mallarĝaj, velkintaj lipoj aperis humila kaj flatema rideto. Sinjorino Evelino ekscitite sin turnis al ŝi.

—Mia kara Czernicka, jen la infano, pri kiu mi parolis kun vi hieraŭ. Rigardu! Kiaj trajtoj⋯ kia delikateco de la vizaĝkoloro⋯ kaj la okuloj⋯ la haroj⋯ se ŝi nur iom grasiĝus kaj akirus ruĝajn vangojn, oni povus prezenti ŝin al iu nova Rafaelo kiel modelon por Kerubo⋯ Kaj krom tio orfino!⋯ Vi scias, kiel mi trovis ŝin ĉe tiuj. bonkoraj homoj, en tiel malgaja loĝejo⋯ malseka, malluma⋯

Ŝi ekbrilis tie antaŭ miaj okuloj kiel perlo inter balaaîoj··· Dio sendis ŝin al mi··· Sed, mia kara Czernicka, oni devas ŝin bani, kombi, vesti··· Mi petas vin, post unu, post du horoj, ne pli malfrue, la infano devos havi tute alian aspekton. Czernicka ridetis agrable, kun admiro krucis la manojn sur la brusto kaj balancis la kapon, por rapide jesigi ĉion, kion diris ŝia sinjorino. Sinjorino Evelino estis en plej bona humoro. Bonhumora ankaŭ fariĝis la servistino, kiu antaŭ momento eniris malgaja kaj nuba. Kiel antaŭe Helka antaŭ la hundo, tiel nun ŝi sidiĝis sur la planko antaŭ Helka kaj komencis babili, imitante la pepadon de la infano. Poste kun granda peno, zorge kaŝita, ŝi kaptis Helkan sur siajn sekajn, energiajn brakojn, levis la knabineton de la planko, alpremis al la brusto kaj elportis ŝin el la salono, kovrante ŝian vizaĝon per bruaj kisoj. Sinjorino Evelino, radianta kaj apenaŭ haltiganta la larmojn de la kortuŝo, parolis ankoraŭ iom kun Janowa.

La masonistino, kuraĝigita de la ekstrema boneco de la sinjorino kaj ankaŭ kortuŝita, ploris kaj duan fojon rakontis la historion de Helka, orfino de ŝia parenco, same kiel ŝia edzo, masonisto, kiu mortis, falinte de trabaĵo; baldaŭ poste mortis de la kolero lia edzino, la patrino de Helka.

Orfino sen patro kaj sen patrino!

Ambaŭ virinoj, la vidvino de riĉa sinjoro kaj la edzino de masonisto, estis kortuŝitaj ĝis larmoj ĉe la sono de ĉi tiu vorto. Sinjorino Evelino tre laŭdis la kristanan kompaton de Janowa kaj de ŝia edzo, kiuj donis ĉe si ŝirmon al la mizera kaj tiel bela infano. Janowa, glorante la bonkorecon de sinjorino Evelino, akceptanta la infanon sub sian zorgon, frotis ĝis sanga koloro per la maniko de sia brila lana kaftano la vangojn, jam sen tio ruĝajn. Fine la masonistino falus antaŭ sinjorino Evelino sur la genuojn por kisi la randon de ŝia vesto, se sinjorino Evelino ne haltigus ŝin per la vortoj, ke nur antaŭ Dio oni devas fali sur la genuojn; poste ŝi petis la masonistinon, ke ŝi akceptu kelke da rubloj por aĉeti bombonojn por la infanoj. Nun Janowa ekridis tra la larmoj krude kaj gaje.

—Mi donos al ili bombonojn! — ekkriis ŝi — ĉu ili estas sinjoraj infanoj, ĉu ili bezonas bombonojn! Se via sinjorina moŝto estas tiel favora por ni, mi aĉetos por Wicek ŝuojn kaj por Marylka kaj Kasia kaptukojn···

Fine ili adiaŭis unu la alian. Janowa, revenante hejmen, eble dudek fojojn haltis sur la stratoj de la urbo, glorante al dudek personoj la anĝelan bonecon kaj kompaton de sinjorino Evelino. Sinjorino Evelino, post la foriro de Janowa, duonkuŝiĝis sur la kanapo kaj apogis sur la bela mano la frunton, vualitan per sopira kaj samtempe agrabla medito.

Pri kio ŝi pensis? Kredeble pri tio, ke Dio, senlime bona, sendis sur la malluman kaj malvarman vojon de ŝia vivo varman kaj helan sunan radion··· Tia radio devis esti de nun por ŝi la bela orfino, okaze trovita hieraŭ kaj hodiaŭ adoptita kiel filino···

Ho, kiel ŝi amos ĉi tiun infanon! Ŝi sentas tion per la pli rapida spirado de sia brusto, per la ondado la vivo kaj juneco, kiu, ŝajnas, subite plenigis ŝian tutan estaĵon kaj kvazaŭ plenblovis la koron. Tiel malplene kaj enue estis al ŝi en la mondo, ŝi sentis sin tiel sola, tia tomba malvarmo jam ĉirkaŭis ŝin! Ŝi jam estis rigidiĝonta, jam proksimiĝis la maljuneco, morta apatio aŭ malluma melankolio jam minacis ŝin, kiam Dio Zorganto pruvis ankoraŭ unu fojon, ke li gardas, ke eĉ en plej profunda malfeliĉo oni ne devas perdi la konfidon al ĉi tiu gardo··· Czernicka nur rapide purigu kaj vestu la anĝeleton···

La medito de sinjorino Evelino estis interrompata de du vilaj piedetoj, kiuj grimpante sur ŝiajn genuojn, implikiĝis en la puntoj de ŝia vesto kaj per akraj ungegoj atingis ŝian manon. Vekita, ŝi skuiĝis kaj per kolera gesto forpuŝis de si la trudeman hundon. Li komprenis ŝian koleron kiel gajan ŝercon. Tro longe li estis amata, por facile ekkredi la repuŝon. Li ĝoje pepis kaj ree per la vilaj piedoj ŝiris la puntojn kaj gratis la atlasan manon de sia sinjorino.

Sed tiun ĉi fojon ŝi salte leviĝis de la kanapo kaj sonorigis.

—Fraŭlinon Czernicka! — ŝi diris al la aperanta lakeo.

Czernicka enkuris spiregante, kun ruĝo sur la malhelaj vangoj, kun la manikoj suprenvolvitaj ĝis la kubutoj.

—Mia kara Czernicka! Mi petas vin, prenu Elfon, kaj li restu tie ĉe vi, en la vestejo, por ĉiam. Li ŝiras miajn puntojn, enuigas min⋯

Kiam la servistino sin klinis por preni la hundon, sur ŝiaj mallarĝaj lipoj glitis stranga rideto. Estis en ĝi iom da sarkasmo, iom da malĝojo. Elf ekmurmuris, reiris kaj volis forkuri de la ostaj manoj, lin kaptantaj, sur la genuojn de sia sinjorino. Sed sinjorino Evelino delikate forpuŝis lin, kaj la ostaj manoj tiel forte lin kaptis, ke li ekpepis.

Czernicka dum unu momento fiksis rapidan rigardon sur la vizaĝo de la sinjorino.

—Kiel netolerebla fariĝis Elf⋯ — murmuretis ŝi ne sen ŝanceliĝo en la voĉo.

—Netolerebla! — ripetis sinjorino Evelino kaj kun gesto de malkontenteco aldonis: — Mi ne komprenas plu, kiel mi povis tiel ami tian tedan estaĵon⋯

—Li estis iam tute alia!

—Ĉu ne vere, Czernicka, li estis tute alia? Li estis iam belega. Kaj nun⋯

—Nun li fariĝis enuiga⋯

—Terure enuiga⋯ Prenu lin en la vestejon, kaj li ne montru sin plu en la ĉambroj. Czernicka estis jam ĉe ia sojlo, kiam ŝi ree ekaŭdis:

—Kara Czernicka!

Ŝi returnis sin kun humila rapideco kaj flata rideto.

—Kaj nia knabino.?

—Ĉio estos farita laŭ viaj ordonoj, sinjorino. En la banejo la bano jam estas preta, Paŭlino banos Helkan⋯

—Fraŭlinon! — kvazaŭ nevole interrompis sinjorino Evelino.

—Fraŭlinon⋯ Mi tranĉas vesteton el la blua kaŝmiro, tiu en la komodo⋯

—Mi scias, scias⋯

—Kazimirino kuris en la butikon de ŝuoj, Janowan mi sendis en la magazenon de preta tolaĵo⋯ la vesteton mi dume almenaŭ duonkudros: mi nur petas vin, sinjorino, pri puntoj, rubandoj kaj mono por ĉio.

Da puntoj, rubandoj, tuloj, gazoj, kaŝmiroj, atlasoj multe estis en la ŝrankoj kaj komodoj, plenigantaj kelke da ĉambroj de la vasta kaj bele aranĝita somerdomo de sinjorino Evelino.

Czernicka sufiĉe longe malfermis kaj fermis la ŝrankojn kaj tirkestojn, ne ĉesante eĉ dum unu minuto premi en la mano bankan bileton de alta valoro.

Poste en la vestejo oni aŭdis grandan bruon de akra marĉandado kaj aĉetado; poste granda parto de objektoj, elprenitaj el la ŝrankoj kaj komodoj, kaj parto de la valoro de la banka bileto malaperis en senfunda kofro — persona propraĵo de la ĉambristino. Fine, kun serena vizaĝo, videble kontenta de la profito, ricevita de la veno de la orfino en la domon, ŝi komencis rapide duonkudri kaj fiksi per pingloj la rapide preparatan veston. Nur en la sekvanta tago tajloroj, ŝuistoj kaj kudristinoj devis komenci la efektivan laboron por la vestaro de la fraŭlino. Dume la fraŭlino jam banita kaj kombita, sed ankoraŭ en dika ĉemizo kaj nudpieda, sidis en la ĉambro de Czernicka sur la planko kaj inter plej koraj karesoj kun Elf ŝajnis forgesi pri la tuta mondo.

Pri la tuta mondo forgesis ankaŭ sinjorino Evelino, dronanta en profunda medito. La mediton nenio plu interrompis nun. En la vasta salono, brilanta de la speguloj, pentraĵoj kaj puncaj damaskoj, regis profunda silento. Tra la duonmalfermitaj pordokurtenoj oni povis vidi kelke da pli grandaj kaj pli malgrandaj ĉambroj, ankaŭ dronantaj en silento kaj duonlumo. La oblikvaj radioj de la subiranta somera suno, penetrantaj tra la fendoj de la mallevitaj tabuletkurtenoj, glitis tie ĉi kaj tie sur la muroj, tapiŝoj kaj oritaj kadroj de la pentraĵoj.

De ekstere flugis odoroj de la florantaj rozujoj kaj pepado de la birdoj; pli profunde, en la manĝoĉambro, mallaŭte sonoris la teleroj, dismetataj por la vespermanĝo.

Sinjorino Evelino meditis pri sia malfeliĉo. Ŝi tute ne trograndigis, pensante, ke ŝi estas tre malfeliĉa.

Efektive, vidvino jam de multaj jaroj, sen infanoj, posedanta koron varmegan, sola, ŝi eĉ ne estis sufiĉe riĉa, por ke ŝi povu ĉiam vivi tie, kie la vivo prezentis al ŝi plej multe da allogoj kaj malplej multe da malĝojo kaj enuo. Ŝia posedaĵo estis, vere, sufiĉe granda, tamen diversaj monaj aferoj alforĝis ŝin iufoje por iom da tempo al loko tiel malbela, malĝoja kaj enuiga, kia estis Ongrod. Precipe en la nuna momento en la bela kaj vasta bieno, kiun ŝi posedis en la ĉirkaŭaĵo de Ongrod okazis io eksterordinara. Estis tie iuj kontraktoj farotaj, ŝuldoj pagotaj, neeviteblaj elspezoj por la mastrumo — kaj ĉio ĉi senigis sinjorinon Evelinon je la ebleco, forveturi eksterlandon, aŭ almenaŭ loĝi en la plej granda urbo de la lando. Ŝi pasigis ĉi tie jam du jarojn, jarojn malfacilajn kaj lacigajn. Fremda por ĉio kaj por ĉiuj, ĉirkaŭata de la prozaj vidaĵoj de malgranda urbo, sopiranta al altaj artistaj ĝuoj, kiuj estis ĝis nun la plej granda allogo de ŝia vivo kaj je kiuj ĉi tie ŝi kompreneble estis tute senigita, ŝi vivis kiel ermitino. fermita en sia somerdomo kun siaj pentraĵoj, fortepiano, Czernicka kaj Elf.

Ŝia vivo ĉi tie estis tiom pura kiom malĝoja, tamen la trankvilo de la konscienco ne estis kompleta. Ŝi faris nenion bonan kaj riproĉis tion al si ofte kaj akre. La deziro fari bonon estis unu el la plej vive vibrantaj kordoj de ŝia animo. La bonfarado atingis ĉe ŝi gradon de pasio kaj multfoje, multfoje en la vivo alportis al ŝi moralajn ĝuojn, anstataŭantajn la feliĉon, kiun ŝi renkontis neniam. Sed··· estis tiel aliloke. Ĉi tie ŝi eĉ ne sciis, kiel kaj kion fari por satigi la plej profundan bezonon de sia nobla koro. Vere, de tempo al tempo, al tiuj aŭ al aliaj ŝi donis malavarajn almozojn, sed tio ne plenigis ŝian tempon, ne kontentigis la koron kaj la konsciencon.

Ŝi kutimis al la bonfarado de la grandaj urboj, laborema, agema, plenumata sub la direkto de kleraj pastraj gvidantoj, kiuj kondukis la bonfarantojn al la subtegmentoj de altaj domoj, en la subterajn mallumajn loĝejoj, en la rifuĝejojn kaj azilojn, al la tabloj kun arĝentaj pladoj, lokitaj en la vestibloj de la preĝejoj k. t. p. Manko de la manieroj tiel bonfari turmentis ŝin kaj verŝis unu guton plu en ŝian maldolĉan pokalon. Subite en Ongrod oni fondis societon de tiel nomataj bonfaremaj virinoj. Sinjorino Evelino, kiel la plej riĉa kredeble loĝantino de la urbo, estis invitita partopreni en la aĝado de la societo. Tio estis la unua ĝojo, kiun ŝi ĝuis post dujara soifo. Ŝi do povos fari bonon!

La fortoj de la koro, da kiuj ŝi tiom sentis en si, trovos por si forfluon!

Ŝia okulo verŝos ankoraŭ, kiel iam, larmojn de la kompato kaj kortuŝeco, vidante la homan mizeron! Ŝiajn orelojn karesos dankaj kaj benaj vortoj de tiuj, inter kluj ŝi aperos kiel anĝelo de helpo kaj konsolo! Ŝi tuj venis al la alvoko. Oni montris al ŝi la kvartalon de la urbo, kie ŝi devis serĉi la mizerulojn. Ŝi serĉis. Serĉante ŝi venis foje en la domon, loĝatan de la familio de la masonisto, kaj ekvidis Helkan. La infano sin prezentis al ŝi en pentrinda pozo; ĝi ludis, ŝajnas, kun hundo aŭ kato, aŭ eble ĝi sidis antaŭ la sojlo de la domo kaj ĝiajn harojn kombis la sunaj radioj; aŭ eble, mirigita de la apero de kaleŝo, ĉevaloj kaj bela eleganta sinjorino, haltis ĉe la sojlo kiel ŝtonigita kaj fiksis sur ŝi siajn pupilojn, en kiuj ŝi ekvidis la varmegan bluon de la itala ĉielo — unuvorte, ĝi tuj ŝajnis al ŝi neordinara kaj bela. Ŝi almetis siajn lipojn al la vangoj de la infano, sur kiuj estis ankoraŭ restaĵoj de ĵus manĝita gria supo kun lardo; sed malgraŭ tio ŝia koro komencis bati pli vive, kaj ĉe la sono de la vorto: "orfo!", dirita de Janowa, larmo de kompato kaj kortuŝeco aperis en ŝiaj okuloj.

Ŝi ekdeziris la infanon, ŝi ekdeziris ĝin kiel sian ekskluzivan propraĵon, kun entuziasmo kaj forto de animo pasia kiel vulkano, kaj sola kiel ŝipo, eraranta sur la maraj vastaĵoj dum ventego⋯

Nun la objekto de ŝiaj deziroj jam estis sub ŝia tegmento. Oni donis ĝin al ŝi por ĉiam kaj, vere, sen malfacilaĵoj! Nun, amante la infanon, ŝi trankviligos sian sopirantan animon, kontentigos sian konsciencon, kiu ordonas al ŝi fari bonon!··· Sed kie ĝi estas, la bela infano? Kie estas la anĝelo de la konsolo kaj trankviligo, sendita de la Providenco? Kial Czernicka ne alkondukis ŝin ankoraŭ? Mizerulino! Kredeble ŝi ankoraŭ ne estas vestita! Sed certe ŝi jam estas lavita kaj banita. Ni iru en la ĉambron de Czernicka ĉirkaŭpreni, kisi la infanon, karese alpremi ĝin al la koro···

Ŝi salte leviĝis de la kanapo, kuris tra la salono kaj en la mezo de la vojo, kun la manoj krucitaj sur la brusto, haltis. En la kontraŭa pordo Czernicka aperis, kondukante je la mano Helkan, sed kiel ŝanĝitan! Kia metamorfozo! La blanka papilio kun kunmetitaj flugiletoj fariĝis brila kolibro. Ruĝaj rubandoj, kvazaŭ plumoj aŭ flugiletoj, varie koloris la bluan veston. El la lanugo de la blankaj puntoj sin eligis rondaj piedetoj en malvastaj ŝtrumpetoj, delikataj kiel aranea reto, kaj malaperantaj en malgrandaj bluaj ŝuoj; la fajraj haroj kombitaj, parfumitaj, estis kunigitaj per testuda buko. Timigita kaj ravita de la eleganta vesto, ebriigita de la bonodoro, eliĝanta el ŝiaj haroj kaj puntoj, Helka staris ĉe la sojlo de la salono kun plora grimaco sur la lipoj.

Timante ĉifi la veston, ŝi disetendis en la aero siajn malgrasajn brakojn; ŝiaj nekuraĝaj kaj malsekaj okuloj jen sin mallevis al la luksaj ŝuetoj, jen levis sin al la vizaĝo de sinjorino Evelino.

Sinjorino Evelino saltis al la infano kaj, ĉirkaŭpreninte ĝin, nur nun komencis ĝin kovri per varmegaj kisoj. Poste ŝi kondukis Helkan en la manĝoĉambron, kie ŝi sidiĝis kun ŝi ĉe la tablo kun bela porcelano kaj bongustaj frandaĵoj. Post duonhoro Czernicka, eniranta en la manĝoĉambron, trovis Helkan sidanta sur la genuoj de la nova zorgantino kaj jam tute intima kun ŝi. La ekstrema boneco kaj sentema koro de sinjorino Evelino rapide verŝis en la koron de la infano kuraĝon kaj konfidon. Kun vangoj iom ŝmiritaj per graso, sed ĉi tiun fojon ne per gria supo kun lardo, sed per kuko kaj konfitaĵoj, ŝi etendis sian malgrandan fingreton al diversaj objektoj, ĝis nun nekonataj, kaj demandis pri ilia nomo.

—Kio estas tio, sinjorino, kio?

—Taso — respondis sinjorino Evelino.

—Tasjo··· — kun iom da peno ripetis Helka.

—Kaj france: la tasse.

—Tas, tass, tas-tas-tas! — pepis Helka.

La virino kaj la infano ŝajnis estaĵoj perfekte feliĉaj. Czernicka kun sia glaso da teo, forlasante la manĝoĉambron, ridetis laŭ sia ordinara maniero, iom sarkasme, iom melankolie.

Tia estis la unua tago de la estado de Helka en la domo de sinjorino Evelino, kaj ĝin sekvis longa vico da tagoj similaj aŭ eble ankoraŭ pli feliĉaj por la virino kaj por la infano. Ili amuziĝis bonege. En la someraj monatoj tra la bela ĝardeno, ĉirkaŭanta la somerdomon, de la mateno ĝis la vespero preskaŭ flugis la knabineto, simila al varikolora kolibro. Malgrandaj ŝiaj piedoj, en elegantaj ŝuetoj kuris sur sablitaj vojetoj ĉirkaŭ bedoj, plenaj de floroj; ŝia kapo kovrita de la oraj haroj kaj ornamita per floroj glitis super la malaltaj grupoj de verdaĵo, kvazaŭ superaera, anĝela fenomeno.

La pepado kaj rido de la infano sonis malproksimen, ĝis trans la ferajn kradojn, apartigantajn la ĝardenon de la eksterurba strato. Sinjorino Evelino, sidante sur la vasta bela balkono, dum tutaj horoj forgesis pri la libro, tenata en la mano, sekvis per la rigardo la subtilan, malpezan, elegantan estaĵon, kaptis per la orelo ĉiun sonon de ŝiaj pepado kaj rido, kaj iufoje ŝi kuris malsupren de la ŝtuparo de la balkono kaj komencis persekuti ŝin sur la vojetoj de la ĝardeno. Tiam dum la infana ludo, al kiu ŝi ŝajnis sin doni per la tuta koro, oni povis plej bone rimarki, kiom da fortoj kaj da vivo estis ankoraŭ en ĉi tiu jam nejuna virino. Ruĝiĝis ŝiaj vangoj, la nigraj okuloj brulis, la talio ricevis infanan graciecon, kaj flekseblecon.

La persekuto finiĝis ordinare tiamaniere, ke Helka sin ĵetis sur la kolon de sinjorino Evelino; sekvis reciprokaj karesoj kaj longa sidado sur la herba tapiŝo, inter floroj, el kiuj ili kunmetis bukedon kaj kronojn. Trans la feraj kradoj la pasantoj ofte haltis, penante tra la truoj vidi la belan grupon. Ĝi ŝajnis tiom pli bela, ke ĝia fono estis palaceto, pentrinde blanka meze de la ĝardeno, tiom pli kortuŝanta, ke oni sciis, ke la virino ne estas la patrino de la infano. La du estaĵoj, fremdaj per la sango kaj tiel intime kunigitaj, faris plej grandan impreson dum la blankaj vintraj tagoj, kiam ili eniradis en la plenplenan preĝejon de la urbo. Al la etulino. tuta en atlasoj kaj cignaj lanugoj, kaj al la virino, en zibeloj kaj veluro, sin turnis tiam kelke da miloj da homaj okuloj. La infanon, nun ĉiam ruĝan kaj ridetantan, oni komparis kun rozo, eliĝanta el sub la neĝo; sed kian komparon oni povis trovi por la zorgantino? Oni nomis ŝin simple sankta! Per tia zorgo kaj amo ĉirkaŭi infanon fremdan, de malalta deveno, orfon! Tiel uzi sian riĉaĵon, — vere, tio estis inda de admiro. Kaj efektive ĉiuj admiris sinjorinon Evelinon, ĉiufoje, kiam ŝia serena kaj meditema vizaĝo pasis tra la flanka navo de la belega templo; Janowa, staranta ĉe la pordo puŝata de entuziasmo, per la tuta forto de siaj ambaŭ kubutoj dispuŝis la popolamason, brue falis sur la genuojn, dronigis sian rigardon en la videbla por ŝi supro de la granda altaro, kaj viŝante per la maniko de sia festa kaftano larmojn sur la ruĝa vizaĝo, preĝis preskaŭ laŭte:

—Kaj la eterna feliĉo lumu al ŝi dum jarcentoj de jarcentoj, amen.

Sendisiĝaj tage, ili ne forlasis unu la alian ankaŭ nokte. La malgranda, el nuksarbo skulptita lito de Helka, vera majstro-verko de la lignaĵista arto, estis lokita senpere apud la lito de sinjorino Evelino. En ĝi, senvestigita per la propraj manoj de la zorgantino kaj vestita per batista nokta ĉemizeto, Helka ekdormis ĉiutage sur delikata tolaĵo, kovrita per brodaĵoj. Serena, ridetanta dormo de perfekte feliĉa estaĵo! Sinjorino Evelino, kuŝigante ŝin por la dormo, faris super ŝi en la aero la signon de la kruco, kaj kiam Czernicka dismetis ŝian litkovrilon en pentrindajn drapiraĵojn, la sinjorino diris:

—Kiel bela ŝi estas, kara Czernicka!

—Kiel anĝeleto — respondis la ĉambristino.

Iufoje Helka, ankoraŭ ne dormanta, aŭdis la interparoladon, kaj el la blankaj lanugoj de la lito eksplodis infana rido, interrompata de ekkrioj:

—La sinjorino estas pli bela, pli bela, pli bela!

—Kion ŝi deliras, Czernicka! — kun profunda kontenteco ridetis sinjorino Evelino.

—Kiel saĝa estas la infano! Kiel ĝi amas vin! — miris Czernicka.

Samtempe, dum tutaj tagoj kaj vesperoj, en la salono, ĝardeno kaj dormoĉambro preskaŭ seninterrompe havis lokon la eduko de Helka. Sinjorino Evelino instruis ŝin paroli france, gracie paŝi, sidi kaj manĝi, bele vesti la pupojn, gustoplene kunmeti la kolorojn, sin kuŝigi por la dormo en ĉarma pozo, kruci la manojn kaj levi la okulojn al la ĉielo dum la preĝo.

Ĉiuj ĉi instruoj estis donataj kaj akceptataj en perfekta reciproka harmonio kaj amikeco. En ludoj kaj ŝercoj la infano kleriĝis rapide kaj gaje: post unujara restado en la domo de la zorgantino, Helka jam flue babilis france, sciis memore multajn francajn preĝojn kaj versaĵojn. Kiam ŝi kuris, iris aŭ manĝis, Czernicka, rigardante ŝin, diris kun admiro al la sinjorino:

—Kiaj movoj! kia gracio! Vere, oni povus pensi, ke la fraŭlino naskiĝis en palaco!···

—Donaco de Dio, mia Czernicka — respondis sinjorino Evelino.

Sed la plej grandan admiron de sinjorino Evelino kaŭzis la eksterordinara sento pri la belo, kiu sin montris en ŝi pli kaj pli klare. Efektive, Helka ricevis inklinon al la elegantaj kaj belaj objektoj, inklinon, preskaŭ similantan al pasio. Plej malgrandan disonancon de la koloroj ŝi tuj rimarkis, plej subtila tavolo de polvo sur la planko ekscitis ŝian abomenon.

Ŝi jam bonege taksis la gradon de la beleco de ĉiu meblo; kiam ŝi estis laca kaj volis ripozi, ŝi sciis elekti kaj montri al la mastrino de la domo la plej komfortan meblon; kelke da fojoj ŝi verŝis maldolĉajn larmojn, kiam oni alportis al ŝi ŝuetojn ne tiel belaj kiel tiuj, pri kiuj ŝi revis. Sinjorino Evelino kun plezuro rigardis la rapidan evoluon de la estetikaj inklinoj de la infano.

—Mia Czernicka — diris ŝi — kian emon ŝi havas al ĉio, kio estas bela, kian delikatan naturon kaj sentemon al ĉiu tuŝo de la ekstera mondo! Dio mia, se mi povus preni ŝin kun mi Italujon! Kiel feliĉa estus la etulino sub la bela itala ĉielo, en la dolĉa klimato, inter la belegaj vidaĵoj de la itala naturo···

La revo, veturi kun Helka Italujon, plifortiĝis ankoraŭ en sinjorino Evelino, kiam iutage ŝi malkovris en la infano talenton, rimarkindan, grandan talenton por la kantado. Helka finis tiam jam sian okan jaron kaj estis en la domo de sinjorino Evelino preskaŭ tri jaroj.

Foje, en serena aŭtuna tago, Helka por unu momento lasita sola, sidis sur la balkono inter amaso da kusenoj, alportitaj tien por ŝi, kaj ornamante pupon, preskaŭ same grandan kiel ŝi mem, sed ankoraŭ pli lukse vestitan, kantetis unu el la multenombraj francaj kantoj, kiuj ŝi sciis memore. Iom post iom tio fariĝis vera kantado; la pupo falis el ŝiaj manoj sur la kusenojn, kaj Helka, turninte la okulojn al la ĉielo, kun la manoj krucitaj sur la brusto, laŭte kaj plende kantis:

Le papillon ŝenvola.
La rose blanche ŝeffeuille.
La la la la la la la···

Ŝia voĉo estis pura kaj forta. En la varmege amata kaj karesata infano vekiĝis sendube kora sentemo kaj kompatemo, ĉar la malĝojan historion de la rozo ŝi kantis kun tia ama sento, ke ŝia eta brusto leviĝis alte kaj sur la malhele oraj okulharoj ekbrilis larmo. Sinjorino Evelino, nevidate observanta ŝin tra la fenestro de la salono, dronis en admiro kaj de tiu tago komencis dum la vesperoj instrui al ŝi la muzikan arton.

Ĉiuvespere en la malgranda ĉambro de Czernicka lampo brulis sur la tablo, la murhorloĝo unutone tiktakis super la senfunda kofro, post kurtenoj estis videbla lito, simple aranĝita.

Silente estis tie. Tri kudristinoj dormetis super sia laboro aŭ mallaŭte, mallaŭte murmuretis en la najbara ĉambro: el la profundo de la domo, el la salono flugis apartaj, longaj tonoj de la fortepianaj klavoj, tuŝataj unu post alia. De tempo al tempo eksonis: f, g, h k.t.p., laŭte elparolata de sinjorino Evelino; iufoje gamo de infana rido ĵetis kelke da arĝentaj tonoj, aŭ estis aŭdebla infana kanto, mallaŭtigita de la interspaco:

La rose blanche s'effeuille.
La la la la la la la⋯

Sur la hela fono, lumigita de la lampo, la figuro de la ĉambristino, alta, maldika, en malvasta vesto, kun la kombilo, alte superstaranta la kapon, prezentis malhelajn kaj akrajn konturojn. Ĉe ŝiaj pledoj, sur mola, bela piedkuseno, kuntiriĝinta kaj malgaja kuŝis Elf. Ŝiaj sekaj brakoj, en malvastaj manikoj kaj ŝiaj longaj, ostaj manoj rapide kaj lerte sin movis super la teksaĵo, kuŝanta sur la genuoj. Ŝi kudris diligente, sed ĉiufoje, kiam la sonoj de la leciono alflugis al ŝi de la salono, ŝia nuba rigardo sin turnis al la hundo, kuŝanta ĉe ŝiaj piedoj; ŝi tuŝis lin delikate per la ekstremo de la piedo kaj kun la ordinara rideto diris: —Ĉu vi aŭdas? Ĉu vi memoras? Ankaŭ vi iam estis tie! Baldaŭ poste plenumiĝis la deziro de sinjorino Evelino; la stato de la monaj aferoj permesis al ŝi veturi eksterlandon por kelke da monatoj; ŝi prenis kun si Helkan; la infano petis la permeson kunpreni Elfon. Ankaŭ Czernicka forveturis kun ili.

第一章

在石匠妻子亚尼娃（Janowa）的牵手带领下，这个小家伙进入了埃韦琳娜·克日茨卡（Evelino Krzycka）女士的美丽客厅。它又害怕又兴奋地小步走在光滑的地板上，不时地被看到的一切而爆发出哭声或笑声。它的珊瑚般的嘴唇颤抖着，为了哭泣而紧缩；它那大大的蓝宝石瞳孔闪烁着惊喜和好奇，美丽的雕塑般的额头周围是密密麻麻的黑金色头发。这是一个五岁的小女孩，非常漂亮。在引领她的高大强壮的女人旁边，她就像一个白色的蝴蝶，身穿着一条垂至地面的绸缎裙。离门槛还有几步的地方，她因为恐惧而颤抖，并已经张开嘴巴准备发出大声的尖叫声，但突然恐惧感变成了喜悦的印象：她猛地从亚尼娃的粗壮手中抽出自己的手，并坐在地板上，她开始笑着和温柔地喊着："小狗，小狗！"最初预示着灾难的第一次相遇变成了友好的开始。小小的狮鹫冲向进来的人们，发出尖锐而充满活力的叫声，但在这个坐在地板上的孩子面前停了下来，开始用一双黑色闪亮而聪明的眼睛盯着她。孩子把她的小红手深埋在它的白色长发中。但就在同一刹那，在这两个小家伙的旁边，一个约四十岁的女人停下来，她是一个漂亮的深色衣着的高大的女人。

石匠妻子亚尼娃俯身至地板，亲吻她的白手。

海尔卡！为什么你不亲吻夫人的手！大家看看！她正在和狗玩耍！尊贵的夫人不要生气！她还是这样天真幼稚！

但埃韦琳娜女士并没有生气。相反，她那黑色的眼睛，充满了炙热和真情，充满了钦佩，凝视着孩子。亚尼娃用她粗壮的手抬起的孩子的脸庞。现在，海尔卡的蓝宝石瞳孔里充满着泪水，她用双手抓住了亚尼娃的裙子。

-尊贵的夫人，我们已经为这个孩子尽了我们的一切努力，但是在贫穷的人家，她没有学会礼貌...只有现在，上帝才赐予这个孤儿...

-孤儿！-埃韦琳娜夫人感动地重复着，弯下身子，想要把孩子抱在怀里。但她突然退缩了，吝闷的表情出现在她的脸上。

-可怜的孩子！她穿得多糟糕！-她喊道

-这条裙子长到地上...她笑了。

-多么宽大的衬衫！还有头发！...她有美丽的头发，但是这样的孩子有人给她编发吗！...多么大的鞋子，还没穿袜子。

她纠正了自己，用手指触摸了一下银色的铃铛，发出尖锐而长久的声音，海尔卡开心地笑了起来，瓦尼娃睁大了眼睛。

-丝彩尼卡小姐！-她对站在门口的仆人说了一句话。片刻后，一个三十多岁的女人走进来，穿着宽松的衣服，高高瘦瘦的，脸色难看而衰老，头发乌黑，被一把老式的梳子梳在脑后。从门槛上，她的凶巴巴的眼睛投向瓦尼娃和带来的孩子，带着一种阴沉的目光，

但当她走近她的女主人时，她的目光变得温和，狭窄而褪色的嘴唇上露出了一丝谦卑而奉承的微笑，埃韦琳娜女士旋即转向她。

-我亲爱的丝彩尼卡，这就是我昨天和你谈论的孩子。看啊！多么美丽的面容...多么温柔的肤色...还有那双眼睛...那头发...如果她能稍微胖一点，脸上红润一些，我们可以把她介绍给某个新的拉斐尔作为雕刻天使的模特...而且她还是个孤儿！你知道我是如何在那些善良的人那里找到她，在那个悲伤而阴暗的住所...潮湿、昏暗...她在那里在我眼前闪耀如珍珠一般...上帝将她送给我...但是，亲爱的，我们必须给她洗澡、梳头、穿衣...我请求你，在一个小时，两个小时之后，

不要再晚了，这个孩子必须有完全不同的外貌。丝彩尼卡愉快地笑了笑，赞叹地交叉双手在胸前摇动着头，迅速点头同意她的女主人所说的一切。埃韦琳娜女士心情非常好。刚才还进来时忧郁而阴云密布的女仆也变得开心起来。就像海尔卡在小狗面前一样，她现在坐在海尔卡面前的地板上开始闲聊，模仿着孩子的咿咿呀呀的声音。然后，费力而小心地隐藏着她的企图，然后她用干瘦而有力的臂膀抱起海尔卡，将女孩从地板上抬起，紧紧地拥抱在胸前，把她带出了客厅，用嘈杂的吻覆盖着她的脸颊。埃韦琳娜女士欢喜地几乎抑制不住自己的激动泪水，还和瓦尼娃说了一些话。

受到女士极度的善意和感动的鼓励，这位石匠的妻子也哭了起来，并再次讲述了海尔卡的故事，她是她的亲戚的孤女，也是她的丈夫，一名石匠成员的孤女，后来丈夫在工作中不幸身亡；不久之后，他的妻子，也是海尔卡的母亲，因悲愤而去世。

没有父亲和母亲的孤儿！在这个词的声音下，富人的寡妇和石匠的妻子两位女士都感动得热泪盈眶。埃韦琳娜女士非常赞扬瓦娜娃和她的丈夫对这个可怜而美丽的孩子的基督徒怜悯之心。她对埃韦琳娜女士的善良赞扬感到自豪，并感谢她接受了对这个孩子的照顾，她用闪亮的羊毛长袍的袖子擦拭她那已经不再红润的脸颊，擦出了一片血红色的印记。最后，如果埃韦琳娜女士没有用她的话阻止，这位石匠妻子就会跪在她面前亲吻她衣服的边缘；埃韦琳娜女士告诉她，只有在上帝面前才应该跪下；然后她请求石匠妻子接受一些卢布来买糖果给孩子们。现在，瓦尼娃在泪水中开心地笑了起来。

- 我会给他们买糖果！她喊道
-无论他们是贵族的孩子还是需要糖果的孩子！夫人对我们如此慷慨，我会给维克买鞋子，给玛丽卡和卡西娅买帽子...

最后他们互相告别。瓦尼娃回家的路上，可能在城市的街道上停了二十次，向二十个人赞美埃韦琳娜女士的天使般的善良和怜悯。埃韦琳娜女士在瓦尼娃离开后，半躺在沙发上，用美丽的手托着额头，带着渴望而愉快的沉思。她在想什么呢？可能是上帝，无尽的慈爱，将温暖而明亮的阳光照在她黑暗而寒冷的人生道路上...这个阳光现在对她来说应该是一个美丽的孤女，昨天被找到，今天被收养为女儿...

哦，她会多么爱这个孩子！她感受到了自己胸膛更快的呼吸，感受到了生命和青春的涌动，似乎突然充满了她整个存在，仿佛心脏被吹得鼓胀。此前，她在这个世界上感到如此空虚和寂寞，如此阴冷的墓地寒意已经围绕着她！她已经开始僵硬，老年已经临近，死亡的冷漠或阴暗的忧郁已经威胁着她，但上帝的保护再次证明了他的存在，即使在最深的不幸中，我们也不能失去对他保护的信任...丝彩尼卡只需迅速把这个天使洗净并穿上衣服...埃维琳夫人的沉思被两只小小的脚丫打断了，它们攀爬到她的膝盖上，纠缠在她的衣服上，用尖锐的爪子触碰到她的手。被惊醒，她颤抖着，生气地用手势推开了这只冒失的狗。它将她的愤怒当作了开心的玩笑。它太长时间被爱着，以至于不轻易相信被拒绝。它愉快地叫唤着，再次用调皮的小脚撕裂了衣服的点缀，嬉皮笑脸地抚摸着夫人洁白的手。但这一次，她从沙发上跳了起来，按响了铃铛。

"丝彩尼卡小姐！"她对出现的侍从说道。

丝彩尼卡喘着气跑过来，脸颊上泛着红色，袖口卷到了肘部。

"我亲爱的丝彩尼卡！我请求你，带走埃利佛，让他永远留在你身边，在衣帽间待着。他撕破了我的点缀，让我烦恼..."

当女仆弯下身来牵那只狗时，她嘴角滑过一丝奇怪的笑容。其中带着一点讽刺，一点悲伤。

埃利佛喃喃自语着，向后退去，想要摆脱抓住他的手，跳上夫人的膝盖上。但夫人埃韦琳娜轻轻地推开了他，仆人伸出的手紧紧地抓住他，他吱吱地叫了起来。

丝彩尼卡瞬间急速地盯着夫人的脸。

"埃 利 佛 变 得 如 此 令 人 无 法 忍 受 ..."

她小声地说，声音中带着些许动摇。

" 无 法 忍 受 ！ "

夫人埃韦琳娜重复道，并带着不满的手势补充道："我不再明白，我怎么能够如此爱上这样一个讨厌的生物..."

"他以前完全不这样！"

"不是吗，丝彩尼卡，他曾经完全不同？他曾经是个美丽的精灵。可是现在..."

"现在他变得令人厌烦..."

" 极 其 令 人 厌 烦 ...带他到衣帽间去，他不要再在房间里出现。"

当丝彩尼卡已经走到门槛时，她又听到：

"亲爱的丝彩尼卡！"

她谦卑地迅速回转过来，带着谄媚的微笑。

"我们的女孩呢？"

"一切都将按照您的指示完成，夫人。在浴室里，浴盆已经准备好了，宝琳娜会给海尔卡洗澡…"

"小姐！"埃韦琳娜仿佛不由自主地打断了。

"小姐…我正在剪裁那件蓝色羊绒外套，就在橱柜里的那件…"

"我知道，知道…"

"卡西米利安跑去了鞋店，我让送去了成衣店…而我至少会把外套半缝好：我只是请求您，夫人，有关配饰、边饰和钱款的事情。"

各种配饰、边饰、纱布、丝绸、羊绒、缎子等都堆满了夫人埃韦林宽敞而优雅布置的夏季别墅的几个房间。

丝彩尼卡用了很长时间打开和关闭橱柜和抽屉，甚至一分钟也没有停止地拿捏着一张面值很高的银行票据。过了一会儿，在衣帽间里可以听到嘈杂的讨价还价和购买的声音；然后从橱柜和家具中取出的一大部分物品和银行票据的一部分价值消失在无底的箱子里——这是女仆的个人财产。最后，她用平静的面孔，显然因为孤儿进入家庭而获得的利润而满足，开始迅速缝制了一半便用别针固定着迅速准备的衣服。只有在第二天，裁缝、鞋匠和缝纫女工们才开始为小姐的服装做真正的工作。与此同时，小姐已经洗澡梳妆，但仍然穿着厚长衬衫，光着脚坐在丝彩尼卡的房间地板上，与Elf亲昵地相处，仿佛忘记了整个世界。

夫人埃韦林也忘却了整个世界，陷入深思。现在没有什么能打断她的沉思。在闪闪发光的大厅里，镜子、画作和丝绸窗帘闪耀着，一片深沉的寂静。透过半开的门帘，可以看到一些大一些小的房间，同样陷入寂静和微光之中。夏日傍晚太阳的斜射光线透过未拉上的小桌子门帘的缝隙，滑过墙壁、地毯和画作的金色框架。

从外面飘来了花园里盛开的玫瑰花和鸟儿的啁啾声；更深处的餐厅里，晚餐的盘子被轻轻地放在桌上，发出微弱的声响。

埃韦林夫人沉思着她的不幸。她并没有过分夸大自己的不幸，认为自己非常不幸。
多年来，埃韦林夫人一直孤身无依，没有孩子，却拥有一颗温暖的心，却并不富裕到能够永远生活在生活向她展示最多诱惑、最少烦恼和无聊的地方。她的财产确实很大，但各种经济事务有时会将她带到像安格鲁这样丑陋、烦闷和无聊的地方。尤其在她目前拥有的美丽广阔庄园中，发生了一些非同寻常的事情。有一些合同要签署，债务要还清，家务开支不可避免——这一切都使埃韦林夫人无法离开，前往国外，或至少居住在这个国家最大的城市。她已经在这里度过了两年，两年艰难而令人疲惫的岁月。对一切和所有人都感到陌生，被小城市的平凡景象包围着，渴望高尚的艺术享受，这些一直是她生活中最大的吸引力，而在这里她显然完全被剥夺了，她就像隐士一样生活在这里。她与她的画作、钢琴、埃韦林夫人和小狗埃尔夫一起，关在她的夏日小屋里。她在这里的生活既纯净又沉闷，但良心的平静并不完全。她没有做任何更好的事情，因而常常严厉地责备自己。做善事的愿望是她灵魂中最强烈的弦，慈善事业在她身上达到了一种激情的程度，许多次，在生活中给她带来了道德上的快乐，取代了她从未遇到过的幸福。但是…在这里却不一样。在这里，她甚至不知道该怎么做，如何满足她高贵心灵最深层需求。确实，偶尔，她会给这个或那个人一些微不足道的施舍，但这并不能充实她的时间，不能让她的心灵和良心满足。

她习惯于在大城市的慈善活动中忙碌，勤奋，积极，执行着教士们的指引，他们引导着善行者们去高楼下的庇护所、地下黑暗的住所、避难所和教堂门厅里的银盘餐桌等等。缺乏这种慈善的方式让她痛苦不堪，使她的苦杯再添了一滴苦涩。突然间，在安格罗德成立了一个名为"慈善女士们"的社会。埃薇琳女士，作为这个城市可能是最富有的居民，被邀请参与该社会的工作。这是她两年来第一次享受到的喜悦。她将能行善了！她内心深处的力量，她如此强烈地感受到的，将找到流露的出口！她的眼睛还将像从前一样，为人类的悲惨而流下同情和感动的眼泪！她的耳朵将被感激和祝福的话语抚摸，她将出现在那些需要帮助和安慰的人中间，犹如一位援助和慰藉的天使！她立刻响应了这个号召。人们向她展示了她应该寻找那些可怜人的城区。她寻找着。在寻找的过程中，她有一次来到了石匠家庭的住所，看到了赫尔坎。这个孩子以一种值得画像的姿势向她展示自己；他似乎正在和狗或猫玩耍，或者他坐在房子门前，阳光的光线梳理着他的头发；或者，被马车、马和一个优雅漂亮的女士的出现惊讶了，停在门前像石化了一样，用他那双瞳孔盯着她，她看到了意大利天空的深蓝色——总之，他立刻对她显得非同寻常和美丽。她把嘴唇贴在孩子的脸颊上，上面还残留着刚吃过的带猪油的小麦汤；但尽管如此，她的心开始更加急速地跳动，在扬诺娃说出"孤儿！"这个词时，她眼中闪烁着同情和感动的泪花。

她开始渴望那个孩子，她渴望将其视为自己的独有财产，带着激情和热烈的心灵力量，像一座火山那样，孤独地像一艘船在暴风雨中徘徊在海的广袤中……现在她渴望的对象已经在她的屋顶下。人们把她交给了她，永远地，而且确实，没有困难！现在，爱着那个孩子，她将安抚她渴望的心灵，满足她的良知，命令她去做善事！…但是那美丽的孩子在哪里？那供应安慰和平静的天使在哪里，上帝派来的？为什么丝彩尼卡还没有带她过来？可怜的家伙！也许她还没有穿衣服！但她肯定已经洗过澡了。我们去丝彩尼卡的房间，抱抱她，吻一下那个孩子，把她亲近到心中…

她从沙发上跳了起来，穿过客厅，走到半路，双手交叉在胸前停了下来。在对面的门口，丝彩尼卡出现了，牵着赫尔卡的手，但她已经变了样子！多么大的变化！原来那只白色的蝴蝶，翅膀合在一起，变成了一只闪亮的蜂鸟。红色的丝带，像羽毛或翅膀一样，给那条蓝色的连衣裙增添了各种颜色。从那些白点的绒毛中露出了圆溜溜的小脚脚丫，穿着细如蜘蛛网、消失在小蓝鞋中的精致袜子；那些被梳理、香气被混合的火红头发被一个小巧的蝴蝶结固定在一起。被那优雅的连衣裙吓坏和迷住，被那馨香所陶醉，从她的头发和点缀上升起，赫尔卡站在客厅门口，嘴角挂着悲伤的笑容。害怕弄皱衣服，她在空中展开她瘦弱的臂膀；她胆怯而湿润的眼睛有时看向豪华的鞋子，有时抬起来看向埃韦林夫人的脸。

埃韦林小姐跳到孩子身边，紧紧抱住她，开始用温暖的吻尽力遮盖她。然后她带着赫尔卡进入餐厅，坐在一张装饰精美的瓷器和美味食物摆放的桌子旁边。过了半个小时，丝彩尼卡走进餐厅，发现赫尔卡已经坐在新的照顾者膝盖上，彼此已经非常亲密。埃韦林小姐的极度友善和敏感的心很快让孩子获得了勇气和信任。脸颊上有一点油脂，但这次不是由于猪油面汤，而是因为蛋糕和果酱，她伸出小手指指着各种以前不知道的物品，问它们的名字。

—这是什么，小姐，这是？

—茶杯 — 埃韦林小姐回答道。

—Taso... — 赫尔卡有点费力地重复道。

—法语里叫la tasse。

—Tas, tass, tas-tas-tas! — 赫尔卡咕噜着。

这位女士和这个孩子看起来是完全幸福的存在。丝彩尼卡手拿一杯茶，离开餐厅时，用她平常的方式微笑，有点讽刺，有点忧郁。

这是赫尔卡在埃韦林小姐家的第一天，接下来是一系列类似或更加幸福的日子，对于这位女士和这个孩子来说。他们玩得非常开心。在夏天的月份里，围绕着夏日小屋的美丽花园里，从早到晚，这个小女孩几乎像一只五颜六色的蜂鸟一样飞来飞去。她那娇小的脚，穿着优雅的鞋子，跑在铺满花朵的小道上；她头上金色的头发配着花朵，在绿色的草丛上滑行，仿佛是一种超然、天使般的存在。

孩子的笑声和欢快的声音传得很远，直至穿过铁栅栏，将花园与郊区街道隔开。埃维琳女士坐在宽敞美丽的阳台上，忘记了手中拿着的书，凝视着那轻盈、优雅的小生物，用耳朵聆听她的笑声和欢呼声，有时从阳台的楼梯上跑下来，开始在花园的小径上追逐她。在她全心全意投入的孩子游戏中，人们可以最清楚地看到，这位年纪已不轻的女士身上仍然蕴藏着多少力量和生机。她的脸颊泛红，黑眼睛闪亮，腰部展现出孩童般的优雅和柔韧。这种追逐通常以埃尔卡扑到埃维琳女士的脖子上结束；接着是互相的抚摸和长时间坐在花地毯上，花朵间，她们一起编织花束和花冠。过往行人经常停下脚步，努力通过栅栏的缝隙看到这美丽的一对。他们显得更加美丽，因为背景是一座宫殿，白色的宫殿在花园中央，而更令人感动的是，人们知道这位女士并非孩子的母亲。这两个完全血脉无关却如此亲密相连的人，在城市充满雪的日子里最令人印象深刻，当他们走进城市的教堂时，成千上万的眼睛都投向了穿着丝绸和天鹅绒的小女孩和穿着貂皮和丝绒的女士。如今总是脸红笑容的孩子被比作从雪下绽放的玫瑰；但是对于照顾者，又能找到怎样的比喻呢？人们简单地称她为圣者！用如此关爱和关心包围一个来自卑微出身、没有父母的陌生孩子！如此善用她的财富，真是值得钦佩。事实上，每个人都钦佩埃维琳女士。

每次她安详沉思的脸孔在美丽的教堂侧通道上闪过时，亚诺瓦站在门口，被热情推动，用双肘的全部力量推开人群，大声跪倒在地上，朝她可见的大祭坛顶端深深凝视，用节日礼服的袖子擦去红脸上的泪水，几乎大声祈祷道：

——愿永恒的幸福照亮她，直至世世代代，阿门。

白天结束后，他们也不分离彼此，甚至在夜晚。海尔卡的小橡树雕床，是木工艺术的真正杰作，被摆放在埃维琳女士的床边。海尔卡每天都赤裸着自己的身体，穿着由照料者亲手制作的细布夜衫，躺在覆盖着刺绣的精致亚麻布上入睡。她的睡容安详，微笑着，仿佛是一位完全幸福的存在！埃维琳女士为她铺好床铺，在她头上划过十字，当彻尔尼茨卡把她的被子换成绘制的帷幕时，女士说道：

——海尔卡是多么美丽啊，亲爱的彻尔尼茨卡！

——像个小天使一样——女仆回答道。

有时海尔卡还没有入睡，就听到了她们的交谈，从床上的白绒毛中爆发出孩子般的笑声，被尖叫声打断：

——女士更美丽，更美丽，更美丽！

——她在说什么胡话，彻尔尼茨卡！——埃维琳女士笑得很满足。

——这孩子多么聪明！她是多么爱您啊！——彻尔尼茨卡惊讶地说道。

在这里的每一个白天和夜晚，海尔卡的教育几乎没有间断地在客厅、花园和卧室中进行。埃维琳女士教导她说法语，优雅地走路，坐和进餐，漂亮地给玩偶穿衣服，搭配颜色，睡觉时摆出迷人的姿势，交叉双手，祈祷时抬起眼睛望向天空。

所有这些教导都在完美的相互和谐与友好中进行。在游戏和笑声中，这个孩子快速而愉快地学会了：在管家的家中呆了一年后，海尔卡已经能够流利地用法语交谈，记住了许多法语的祷文和诗歌。当她奔跑、行走或进餐时，切尔尼茨卡看着她，惊叹地对主人说：

—多么优美的动作！多么优雅！真的，人们可能会以为小姐是在宫殿里出生的！...

—这是上帝的礼物，我的切尔尼茨卡—埃维琳女士回答道。

然而，埃维琳女士最让她赞叹的是海尔卡身上越来越明显的非凡的美感。事实上，海尔卡对于优雅和美丽的物品有一种近乎热情的倾向。她立刻注意到最微小的颜色差异，地板上最细

微的一层灰尘都引起了她的厌恶。她已经能够
很好地评估每件家具的美感；当她疲倦想休息
时，她会选择并向女主人展示最舒适的家具；
有几次她因为给她带来的鞋子不如她梦想中那
么漂亮而流下了几滴苦涩的眼泪。埃维琳女士
高兴地看着这个孩子审美倾向的快速发展。

—切尔尼茨卡小姐　　　　　—　　　　　她说　　　　—
对一切美丽事物的热爱，对外部世界每一触摸
的细腻感受！天啊，如果我能带她和我一起去
意大利！那么幸福的小女孩会在美丽的意大利
天空下，在宜人的气候中，在意大利自然的美
景中...

埃维琳女士对与海尔卡一起去意大利的梦想越
来越强烈，特别是当她发现这个孩子有着显著
的、令人注目的歌唱天赋时。海尔卡已经度过
了她的八岁生日，在埃维琳女士的家中已经呆
了将近三年。

有一天，在一个晴朗的秋日，海尔卡被独自留
在阳台上，坐在堆满枕头的沙发上，为一个娃
娃打扮，这个娃娃几乎和她一样高，但穿着更
豪华的服装，唱起了她熟记的法国歌曲之一。
渐渐地，这变成了真正的歌唱；娃娃从她手中

掉落到枕头上，海尔卡把目光转向天空，双手交叉在胸前，高声哀诉着：

Le papillon s'envola.
La rose blanche s'effeuille.
La la la la la la la...

她的声音清澈而有力。在这受到疼爱和呵护的孩子身上，无疑唤醒了心灵的感受和同情，因为她用如此深情地演唱着玫瑰的悲伤故事，以至于她的小胸膛高高隆起，金色的眼睛中闪烁着泪光。埃维琳女士悄无声息地通过客厅的窗户观察着她，充满了赞叹之情，从那天开始，她在晚上开始教导她音乐艺术。

每天晚上，在切尔尼茨卡的小房间里，一盏灯在桌子上亮着，墙上的挂钟单调地滴答作响，窗帘后面是一张简单整洁的床。
那里是一片寂静。三位裁缝女工在自己的工作上打瞌睡，或者在隔壁房间里低声细语：从房子的深处、从客厅传来断断续续的、长长的钢琴音符，一个接一个地被按下。不时地，会响起：f、g、h等等，由埃维琳女士大声念出；有时一阵儿孩子的笑声扔出几个银色的音符，或

者可以听到孩子的歌声，被空气柔和地压制着
：

白玫瑰花瓣飘落。
啦啦啦啦啦啦啦...

在被灯光照亮的明亮背景下，房间女仆的身影，高大、纤细，穿着宽大的衣服，头上高高扎着梳子，展现出黑暗和尖锐的轮廓。在她的枕头上，躺着一个瘦弱而悲伤的小精灵。她干燥的手臂，手指戴着宽松的手套，双手迅速而灵巧地在膝上摩擦着织物。她勤恳地缝制着，但每当课程的声音从客厅传来时，她的迷离目光会转向躺在她脚下的狗；她用脚尖轻轻地碰触它，然后用平常的微笑说道：—你听见了吗？你还记得吗？你也曾经在那里！不久之后，埃维琳女士的愿望得以实现；金融状况允许她出国几个月；她带着海尔卡；孩子请求一同带走小精灵。切尔尼茨卡也和他们一起出发。

Ĉapitro II

Post kelke da monatoj, en bela somera tago, la somerloĝejo de sinjorino Evelino, duonmorta dum ŝia foresto, reviviĝis. En la ĝardeno floris belaj astrofloroj kaj levkojoj, en la salono brilis la speguloj kaj damaskoj, en la manĝoĉambro mallaŭte sonoris la vitraj kaj porcelanaj vazoj. Sinjorino Evelino sidis en la salono, profunde meditanta, iom malĝoja kaj sopira. Helka ne estis apud ŝi, sed el la profundo de la domo, el la vestejo de tempo al tempo flugis sonoj de ŝia gaja voĉo kaj rido. Czernicka, sidante sur la planko de la vestejo, malfermis la valizojn, elprenante el ili sennombraj objektojn, destinitajn por sennombraj uzoj; tri kudristinoj kaj Janowa, la masonistino, starante ĉirkaŭe, plenaj de scivolo kaj admiro, rigardis jen la fraŭlinon, jen la eligatajn miraklojn de la eŭropaj metioj. Ĉiuj asertis unuvoĉe, ke la fraŭlino forte kreskis.

Efektive, Helka atingis la aĝon, en kiu la knabinoj ricevas la karakterizan longecon de la kruroj, difektantan la harmonion de iliaj formoj. Ĉi tiuj longaj, maldikaj kruroj, en tre malvastaj kaj altaj gamaŝoj, faris ŝin iom malgracia.

La regulara ovaĵo de ŝia vizaĝo perdis sian delikatecon kaŭze de la malgrasiĝo, kredeble de la longa vojaĝo; la malkovritaj brakoj estis malgrasaj kaj ruĝaj. La bela infano komencis aliformiĝi en malgracian maturiĝantan knabinon, kies trajtoj antaŭdiris estontan belan fraŭlinon.

La masonistino, sciigita pri la reveno de la sinjorino kaj de la fraŭlino per unu el la ĉambristinoj, kiun ŝi petis pri tio, ne povis sufiĉe admiri sian malgrandan parencinon kaj poste ŝiajn objektojn, elprenatajn el du apartaj valizoj. Ŝi sidiĝis sur la planko apud Helka, kiu montris al ŝi ĉion kaj klarigis.

—Dua ĉapelo··· — ekkriis ŝi — tria··· kvara··· Granda Dio!

Kiom da ĉapeloj vi havas, Helka?

—Tiom, onklino, kiom da vestoj — klarigis Helka — al ĉiu vesto estas konforma ĉapelo···

—Kaj tiu skatolo?

—Tio estas vojaĝa skatolo.

—Por kio ĝi estas?

—Kiel, por kio? Rigardu, onklino, tie ĉi estas diversaj fakoj, kaj en ili ĉio, kion oni bezonas por sin lavi, kombi kaj vesti···Jen kombiloj, sapo, brosetoj, diversaj pingloj, parfumoj···

—Jezuo, Mario! kaj ĉio ĉi estas via?

—Jes, mia. La sinjorino havas pli grandan skatolon kaj mi malgrandan.

En tiu momento Czernicka elprenis el pakaĵo pupojn de diversa grandeco kaj aliajn infanajn ludilojn plej diversajn. Tie estis belaj birdoj, kvazaŭ vivantaj, strangaj bestetoj, arĝentaj kaj oraj mastrumaj vazoj k. t. p. Janowa larĝe malfermis la buŝon, sed en la sama momento malĝojo vualis ŝiajn okulojn.

—Mia Dio! —murmuretis ŝi kun sopiro — miaj infanoj povus almenaŭ vidi ĉion ĉi···

Helka momenton rigardis ŝin, meditis, poste vive sin ĵetis al siaj ludiloj kaj ĉifonoj kaj kun granda fervoro komencis donaci kelkajn al Janowa.

—Prenu, onklino, la strigon por Marylka kaj ĉi tiun fiŝeton por Kasia··· por Wicek estu ĉi tiu harmoniko··· oni bezonas nur tuŝi ĝin, kaj tuj ĝi ludas tre bele··· Prenu, onklino, prenu!

La sinjorino ne koleros, la sinjorino estas tiel bona kaj tiel amas min··· Prenu ankaŭ ĉi tiun ruĝan tukon por Marylka, kaj por Kasia la bluan··· mi havas multe da tiaj tukoj··· tre multe··· Janowa, kun okuloj plenaj de larmoj, volis kapti la parencinon en siajn potencajn brakojn, sed timante ĉifi ŝiajn krispajn kaj malsimplajn vestojn, karesis per la dika mano la atlasan vizaĝon de la infano. Ŝi kategorie rifuzis akcepti la donacojn, sed leviĝante de la planko, ŝi diris:

—Vi estas bona infano!

Kvankam vi kreskas por esti granda sinjorino, vi ne malestimas la malriĉajn parencojn, kiuj iam donis al vi ŝirmon⋯

Kiam Janowa diris tion, Czernicka, klinita ĝis nun super kofro, sin rektigis kaj rapide kun akcento diris aŭ verdire murmuris:

—Eh, mia sinjorino Janowa! Kiu povas scii, kia ŝi estos iam: granda aŭ malgranda?

Janowa respondis nenion, ĉar ŝi rigardis kun plorema rideto al Helka, kiu, ridante kaj saltante sur siaj longaj kruroj kiel gaja kaj petolema katino, rondiris ĉirkaŭ ŝi kaj plenigis ĉiujn ŝiajn poŝojn per bombonoj.

—Tio estas por Marylka — kriis ŝi — tio por Kasia⋯ kaj tio, onklino, por la onklo⋯

Subite ŝi ektremis kaj fariĝis malĝoja.

—Tiel malvarme estas tie ĉi! — diris ŝi per la koleretanta buŝo — en Italujo estas multe pli bele kaj agrable⋯ tie senĉese brilas la suno⋯ bela veter o⋯ tiel belaj oranĝaj arbaroj⋯ Ne longe ni povos resti ĉi tie⋯ kredeble ni ree veturos tien, kie estas tiel varme⋯

Czernicka volis surmeti al ŝi varman palteton, molan kiel lanugo, sed Helka sin elŝiris el ŝiaj manoj.

—Ah! — ekkriis ŝi — kiel longe mi jam ne vidis la sinjorinon; mi iros al la sinjorino! Adiaŭ, onklino!

Kaj ĵetinte per la mano kison al Janowa, ŝi forkuris saltante kaj kantante:

—Mi iros al la sinjorino··· al mia kara··· al mia or a··· al mia plej amata···

—Kiel ŝi amas sian bonfarantinon! — sin turnis Janowa al Czernicka.

Tiuvespere sinjorino Evelino, ĉirkaŭvolvita per blanka negliĝa vesto, sidis antaŭ la tualetejo, malĝoja kaj sopiranta.

Helka en sia skulptita lito, duone dronanta en la lanugoj, batistoj kaj brodaĵoj, jam estis profunde ekdorminta; du kandeloj en altaj ingoj estis forbrulantaj; post la apogseĝo de sinjorino Evelino staris Czernicka, kombante kaj dismetante por la nokta ripozo la korve nigrajn ankoraŭ kaj longajn harojn de sia sinjorino. Post momenta silento sinjorino Evelino sin turnis al la ĉambristino:

—Ĉu vi scias, mia Czernicka, mi havas embaraso n···

—Kian? kun kio? — demandis la ĉambristino per tono, plena de ama zorgemo.

Post mallonga momento de ŝanceliĝo sinjorino Evelino respondis per malforta voĉo:

—Kun Helka!

Sufiĉe longe poste ili silentis. Czernicka malrapide, delikate kondukis la broson sur la nigraj, silkaj haroj. Ŝia vizaĝo, rebrilanta en la spegulo de la tualetejo, estis vualita per medito.

Post momento ŝi diris:

—La fraŭlino··· kreskas.

—Ŝi kreskas, mia Czernicka··· kaj oni jam devus zorgi pri ŝia eduko. Mi absolute ne volas preni guvernistinon en la domon, ĉar mi ne amas havi en la domo fremdajn personojn···vere, mi ne scias, kion fari.

Czernicka ree silentis unu momenton. Poste kun sopiro ŝi diris:

—Kia domaĝo, la fraŭlino ne estas plu tia malgranda infaneto, kia ŝi venis al ni···

Sinjorino Evelino ankaŭ eksopiris.

—Tio estas vera, mia Czernicka, nur tiaj malgrandaj infanoj estas vere amindaj kaj alportas puran ĝuon. Helka forlasis jam la plej agrablan infanan aĝon. Oni devas ŝin instrui, admoni···

—Jes, mi rimarkis, ke de iom da tempo vi estas devigata, sinjorino, sufiĉe ofte admoni la fraŭlinon···

—Jes. Ŝia karaktero forte ŝanĝiĝis. Ŝi fariĝis kaprica··· ŝi koleretas kontraŭ mi pro bagatelo···

—Vi kutimigis la fraŭlinon al via eksterordinara boneco. —Tio estas vera. Mi trodorlotis ŝin. Sed ne eble estas, plu dorloti grandan knabinon tiel, kiel mi dorlotis ŝin, kiam ŝi estis tiel malgranda, gracia··· karesema···

—Malfacile estas, kontentigi la fraŭlinon··· Hodiaŭ ŝi forte ekkoleris kontraŭ mi pro tio, ke kombante ŝin mi iom pli forte ektiris buklon de ŝiaj haroj···

—Vere? ŝi ekkoleris kontraŭ vi? Mi memoras, ke ankaŭ en la tempoj pasintaj ŝi ofte siblis kaj saltis sur la seĝo, kiam vi kombis ŝin⋯ sed dum ŝi estis malgranda, tio estis tre amuza kaj pligrandigis ŝian ĉarmon⋯ nun tio estan netolerebla⋯ Mi

dezirus esti malprava, sed ŝajnas la mi, ke ŝi esto s⋯ kolerulino⋯

—Vi kutimigis, sinjorino, la fraŭlinon al via eksterordinara boneco — ripetis Czernicka.

Ili eksilentis. La kombado de la haroj por la nokto jam proksimiĝis al la fino. Kun la vizaĝo klinita super la kapo de la sinjorino, sur kiun ŝi metis malpezan noktan kufon, Czernicka per voĉo multe pli mallaŭta kaj ŝanceliĝanta diris ankoraŭ:

—Eble vi havos, sinjorino, gastojn en la proksimaj tagoj⋯

—Gastojn! kiajn gastojn, mia Czernicka? kiun?

—Eble venos la sinjoro, kies koncerton vi aŭskultis en Florenco kaj kiu poste dum kelke da vesperoj tiel bele ludis ĉe vi⋯

Ruĝa nubo trafluis la vizaĝon de sinjorino Evelino, kiun la longa vojaĝo kaj la malfrua vespera horo faris simila al velkinta floro.

—Ĉu ne vere, Czernicka, ke li belege ludas? Li estas vera kaj granda artisto!

Ŝi viviĝis, ŝia voĉo fariĝis pli forta, la senbrilaj okuloj ree ekbrilis.

—Kaj kiel bela li estas! — murmuretis Czernicka.

—Ĉu ne vere? Ho, italoj, se iu el ili estas bela, li estas bela kiel revo···

Per malrapidaj paŝoj ŝi trapasis la interspacon inter la tualetejo kaj la lito, kaj kiam ŝi jam estis senvestigita kaj Czernicka dismetis la litkovrilon en pentrindajn faldojn kaj drapiraĵojn, ŝi komencis paroli per revema voĉo:

—Mia Czernicka, mi petas vin, zorgu, ke ĉio en la domo estu bone kaj bele ordigita··· Refreŝigu la salonon··· kiel vi scias tion fari··· ĉar vi posedas multe da bona gusto kaj lerteco··· Eble okaze··· iu alveturos al ni···

Dum multe da sekvantaj vesperoj inter sinjorino Evelino kaj Czernicka havis lokon ĉe la tualetejo mallongaj kaj interrompataj interparoladoj.

—Ĉu vi rimarkis, Czernicka, ke Helka malbeliĝas?

—Ŝajnas al mi, ke la fraŭlino ne estas plu tiel bela, kiel ŝi estis.

—Ŝi fariĝas tute malgracia. Mi ne komprenas, kiel ŝi ricevis tiel longajn krurojn··· ŝia mentono ankaŭ strange longiĝis.

—Tamen la fraŭlino estas ankoraŭ tre bela.

—Ŝi ne estas tiel bela, kiel oni povis esperi antaŭ kelke da jaroj. Mia Dio! kiel fluas la tempo, fluas, fluas kaj forportas kun si ĉiujn niajn esperojn.

Sed en la sekvinta tago sur ŝia vizaĝo brilis dolĉa espero. Sur la tablo kuŝis bonodora letero, veninta el Italujo.

—Mia Czernicka, ni havos gastojn.

—Dio estu benata! Estos iom pli gaje por vi, sinjorino. De la reveno de la eksterlando vi estas ĉiam tiel malĝoja.

—Ah, mia Czernicka, kiel mi povas esti gaja! La mondo estas tiel malĝoja! Precipe la animoj, kiuj deziras idealojn, perfektecon, devas ĉiam senreviĝi···

Post momenta silento ŝi aldonis:

—Ekzemple, Helka··· Kiel bela, aminda, amuza infano ŝi estis··· kaj nun···

—De nia reveno de la eksterlando la fraŭlino ĉiam koleretas··· aŭ eble estas malĝoja, mi ne scias···

—Malĝoja? Kiel ŝi devus malĝoji? Ŝi koleretas kontraŭ mi, ke mi ne plu senĉese zorgas pri ŝi, kiel iam··· Mia Dio, ĉu mi povas dum la tuta vivo zorgi pri nenio alia, nur pri ĉi tiu infano?···

—Vi kutimigis, sinjorino, la fraŭlinon al via ekstrema boneco — ripetis Czernicka siajn vortojn.

Efektive Helka estis malĝoja, sed samtempe ŝi ankaŭ koleretis senĉese. Trodorlotitaj kaj nutrataj sole per agrablaj impresoj, ŝiaj nervoj malagordiĝis sub la influo de kontenteco, kies kaŭzon kaj naturon ŝi ne komprenis klare, sed kiu ĉiuminute ekscitis ŝian ploron aŭ koleron. Dum la kombado kaj vestado ŝi kriis nun kiel freneza, piedfrapis, kunpremis la pugnojn, preskaŭ batis la ĉambristinon Czernicka.

Kiam sinjorino Evelino per silento aŭ duonvortoj respondis ŝian karesan babiladon aŭ sin ŝlosis en sia dormoĉambro, la infano sidiĝadis en angulo de la salono, sur malalta piedbenketo, kaj kuntiriĝinte, kun grimace plenblovita vizaĝo, murmuretis al si mem kolerajn monologojn kaj dronis en larmoj. Poste ŝiaj ŝvelintaj kaj ruĝaj okuloj definitive konvinkis sinjorinon Evelino, ke Helka estas kolerulino kaj rimarkeble malbeliĝas.

Iufoje venis al la infano la penso, intence inciti la indiferentiĝintan zorgantinon; kiu povas scii, eble tiamaniere ŝi sukcesos turni ŝian atenton al si? Kiam sinjorino Evelino, kun la okuloj fiksitaj en libro, dronis en plej profundaj meditoj, Helka per kataj paŝoj, kun oblikva rigardo ŝteliris al la fortepiano kaj komencis tutforte, per ambaŭ manoj frapi la klavojn. Iam tia kakofonio, farata de ŝia edukatino, ekscitus gajan ridon de sinjorino Evelino kaj pluvon de kisoj por la infano.

Sed nun Helka estis multe malpli amuza, kaj sinjorino Evelino dronis ofte en malĝojoj kaj sopiroj. Nun ŝi en tiaj okazoj salte leviĝis, kuris al la infano kaj punis ŝin per severaj admonoj, iufoje eĉ per malforta bato sur la petolaj manoj.

Tiam Helka, ploranta kaj tremanta, falis antaŭ ŝi sur la genuoj, kisis ŝiajn genuojn kaj piedojn, murmuretante longajn pasiajn litaniojn de plej karesaj vortoj.

—Mia kara — diris ŝi — mia ora··· mia plej kara···
mi petas··· mi petas···

Kaj kun levitaj okuloj, kun krucitaj manoj,
genuante ŝi silentis. Ŝi sentis, profunde kaj dolore ŝi
sentis, ke ŝi volas peti pri io, sed pri kio kaj kiel —
ŝi ne sciis.

Dum unu el tiaj scenoj, iun tagon la lakeo,
aperanta en la pordo de la salono, anoncis gaston
kun itala nomo. Sinjorino Evelino, kiu kun sentema
kaj bona koro, propra al ŝi, jam komencis esti tuŝita
de la humila kaj plena de ĉarmo pozo de la infano
kaj jam estis preta, kapti ŝin en sian ĉirkaŭprenon,
— ĉe la sono de la nomo ektremis, rektiĝis kaj
rapidis renkonte al la bela italo, al la glora artisto.
eniranta en la salonon.

Kiam ŝi salutis lin, la ridetoj kaj ruĝoj, kiuj kovris
ŝian vizaĝon, faris ŝin simila al riĉe floranta rozo.
La vizito daŭris longe — ĝis la malfrua vespero. La
mastrino de la domo kaj la gasto parolis itale, kun
granda vigleco, kun videbla deziro reciproke fari
plezuron unu al la alia. Baldaŭ oni alportis la
violonĉelon; sinjorino Evelino, sidante ĉe la
fortepiano, akompanis la ludon de la fama artisto.
Dum unu el la paŭzoj ili komencis interparoli pli
mallaŭte — eble volis komuniki unu al la alia ion
intiman kaj sekretan, ĉar iliaj kapoj sin klinis unu al
alia, kaj la italo etendis sian manon al la blankaj
fingroj de la virino, ripozantaj sur la klavoj,

sed en la sama momento sinjorino Evelino forprenis sian manon, ŝiaj brovoj kuntiriĝis, esprimante malagrablan impreson, malpacience ŝi mordis la lipon kaj komencis laŭte paroli pri la muziko. La kaŭzo de tiu subita incitiĝo de la animo kaj fizionomio estis, ke ŝiaj okuloj renkontis paron da infanaj okuloj, safiraj kiel la itala ĉielo kaj fajraj kiel ĝi.

Helka, kuntiriĝinta kaj silenta, fiksis sur ŝi sian rigardon, kiel vundita birdo. Ŝi sidis proksime sur malalta piedbenketo kaj el la ombro, falanta sur ŝin de la fortepiano, rigardis la zorgantinon kiel ĉielarkon. En ĉi tiu ardo, obstine direktita al unu punkto, oni povis legi plendon, timon kaj, peton ···

Dum la sekvantaj tagoj la gasto kaj sinjorino Evelino povis diri unu al la alia nenion intiman aŭ sekretan; ilia interparolado devis promeni sur malkovritaj vojetoj, ĉar Helka, preskaŭ tute ne forlasanta la salonon, bone komprenis kaj eĉ ne malbone mem parolis itale.

Post kelke da tagoj sinjorino Evelino, atendante sian karan gaston, sidis sur la kanapo, kun la frunto apogita sur la mano, dronante en sopira kaj dolĉa medito. Pri kio ŝi pensis? Kredeble pri tio, ke Dio en sia senlima boneco sendis sur la malluman kaj malvarman vojon de ŝia vivo varman kaj helan radion de la suno.

Ĉi tiu radio fariĝis por ŝi la genia kaj bela homo, okaze renkontita en la vasta mondo, kaj nun adoptita de ŝi kiel kara amiko de la animo kaj koro. Ho, kiel gravan rolon li ludos en ŝia vivo! Ŝi sentas tion per la pli rapida spirado de sia brusto, per la ondo de la vivo kaj juneco, kiu, ŝajnas, subite plenigis ŝian tutan estaĵon kaj kvazaŭ plenblovis la koron. Tiel malplena kaj enuiga, estis por ŝi la mondo, ŝi sentis sin tiel sola, tiel senrevigita de ĉio. Ŝi jam estis rigidiĝonta, jam proksimiĝis la maljuneco, morta apatio aŭ malluma melankolio jam minacis ŝin, kiam la Providenco pruvis ankoraŭ unu fojon, ke ĝi gardas ŝin, ke eĉ en la plej profunda malfeliĉo oni ne devas perdi la konfidon al ĉi tiu gardo. Rapide nur venu la genia, hela kaj kara amiko···

La medito de sinjorino Evelino estis interrompata de malgrandaj manoj, kiuj kvazaŭ neĝaj flokoj falis sur la nigrajn puntojn de ŝia vesto kaj nekuraĝe, petege kvazaŭ grimpis al ŝia kolo. Vekita, ŝi skuiĝis kaj haltigante la malpaciencon, delikate forpuŝis de si Helkan. Ŝi komprenis ŝian malpaciencon kiel gajan ŝercon. Tro longe ŝi estis amata, por facile ekkredi la repuŝon. Ŝi mallaŭte ekridis, karese kaj ree nekuraĝe dronigante la manojn en la puntoj, penis atingi kaj ĉirkaŭpreni ŝian kolon. Sed tiun ĉi fojon sinjorino Evelino salte leviĝis de la kanapo kaj sonorigis:

—Fraŭlinon Czernicka!

Czernicka enkuris kun peco da silka teksaĵo en la manoj, kun silka fadenaro sur la kolo, kun multe da pingloj en la korsaĵo, forte ruĝiĝinta kaj rapidanta. Pli ol de unu semajno ŝi direktis fabrikon de novaj vestoj kaj kostumoj, instalitan en la vestejo.

—Mia Czernicka, prenu Helkan, kaj ŝi restu tie ĉe vi, kiam mi havas gastojn. Ŝi malhelpas min paroli kun la gastoj··· Ŝi enuigas min···

—La fraŭlino estas neĝentila!

Kun ĉi tiuj vortoj la ĉambristino sin klinis super la infano, kaj sur ŝiaj lipoj glitis ŝia kutima rideto, iom sarkasma kaj iom malĝoja; ŝia brusto, kuntirita per nigra, malvasta korsaĵo, tremis de haltigata rido aŭ eble de kolero, oni ne scias. Preninte Helkan je la mano, kiu kun pala vizaĝo staris senmove kvazaŭ koloneto, dum unu momento ŝi fikse rigardis la vizaĝon de la sinjorino.

—La fraŭlino ŝanĝiĝis··· — diris ŝi malrapide.

—Ŝanĝiĝis — ripetis sinjorino Evelino kaj sopirante, kun gesto de plej alta malkontenteco aldonis: — Mi ne komprenas, kiel mi povis tiel ami la enuigan infanon!···

—Ho! ĝi estis iam tute alia!

—Ĉu ne vere, kara Czernicka, tute alia··· Ŝi estis iam bela··· sed nun···

—Nun ŝi fariĝis enuiga··· — Terure enuiga··· Prenu ŝin, kaj ŝi restu ĉiam ĉe vi···

Czernicka elkondukis la ŝtoniĝintan kaj blankan kiel tolo Helkan. Ĉe la sojlo Czernicka ankoraŭ ekaŭdis:

—Kara Czernicka!

Ŝi returnis sin kun humila rapideco kaj flata rideto.

—Kaj mia vesto el malbrila silko? Zorgu, mi petas, ke oni bele aranĝu la manĝotablon··· ne forgesu ankaŭ pri la deserto··· Vi scias, italoj manĝas preskaŭ nenion krom fruktojn kaj glaciaĵon···

—Ĉio estos laŭ viaj ordonoj, sinjorino, mi petas nur pri la ŝlosiloj al la puntoj kaj ŝtofoj kaj pri mono por ĉio···

En la ĉambro de Czernicka estis silente. La horloĝo, pendanta super la senfunda kofro, sonoris la noktomezan horon.

Proksime de la kurtenoj, ŝirmantaj la liton de la ĉambristino, apud la muro staris blanka lito infana, skulptita el nuksarbo, kun neĝeblanka litaĵo. Sur la tablo, apud kudromaŝino, brulis lampo, kaj sur la fono, bele lumigita de ĝi, estis klare videblaj la nigraj konturoj de la virino, diligente laboranta. Ĉe ŝiaj piedoj, sur malalta piedbenketo sidis Helka, vartante sur la genuoj la dormantan Elfon. Czernicka zorge kunmetis kaj kunkudris kokardojn el nigra silko, sed kiam el la profundo de la domo, el la salono, ŝiajn orelojn atingis kunigitaj, plendaj tonoj de la fortepiano kaj violonĉelo, ŝi fiksis sian nuban rigardon sur la kapo de Helka, klinita super la hundo, kaj delikate tuŝante ĝin per la fingro, armita per fingringo, diris:

—Ĉu vi aŭdas? Ĉu vi memoras? Ankaŭ vi iam estis tie!

La infano levis la vizaĝon, forte paliĝintan de kelke da tagoj, kaj silente rigardis la pli maljunan kunulinon per okuloj, plenaj de medito, kvazaŭ kunkreskinta kun ili.

—Kial vi tiel larĝe malfermas la okulojn, rigardante min?

Kial vi miras? Prefere iru dormi··· Vi ne volas? Vi pensas, ke la sinjorino vokos vin! Ne baldaŭ tio okazos. Mi iom kompatas vin. Ĉu vi volas? Mi rakontos al vi longan, belan fabelon···

Helka tiel saltis sur la seĝon, ke Elf vekiĝis. Fabelo! Iam ŝi ofte aŭskultis fabelojn, rakontatajn de sinjorino Evelino.

—Silentu, Elf, silentu! Sed ne dormu! Aŭskultu! La fabelo estos longa kaj bela.

Czernicka ĵetis sur la tablon pretan dekan kokardon, kaj komencante kunmeti dekunuan, rigardis el sub la brovoj la infanon, iom gajigitan. Ŝiaj fingroj iom tremis, kaj la rigardo malĝojiĝis. Post momento per mallaŭta voĉo kaj ne ĉesante kudri, ŝi komencis:

—Estis foje, en nobela regiono, juna, beleta knabino.

Ŝi vivis feliĉe ĉe la gepatroj, inter siaj fratoj kaj parencoj, sub la blua dia ĉielo kaj inter la verdaĵo de la amata tero, malfacile laborante, tio estas vera, sed sana, freŝa, ruĝa kaj gaja. Ŝi jam estis dekkvinjara kaj jam elektis ŝin knabo — najbaro kiel estontan edzinon, kiam subite, okaze ekvidis ŝin riĉa kaj tre bona sinjorino. La sinjorino ekvidis la junan knabinon foje, dimanĉe, kiam en festa vesto ŝi portis el la arbaro kruĉon da fragoj. La sinjorino ekvidis kaj tuj ekamis ŝin. Pro kio? Oni ne scias. Oni diras, ke la knabino havis belajn okulojn, eble beleta ŝi ŝajnis sur la verda kamplimo, en la ora tritiko, kun ruĝa rubando ĉe la kaftano kaj kun kruĉo da fragoj en la mano. La bona sinjorino alveturis en belega kaleŝo antaŭ la dometon de ŝiaj gepatroj kaj prenis ŝin kun si.

Ŝi diris, ke ŝi donos al ŝi edukon, enkondukos ŝin en la mondon, certigos al ŝi estontecon kaj feliĉon··· La estontecon··· kaj fel··· iĉon!

La du lastajn vortojn ŝi elparolis kun akcento, kun siblo, kaj ĵetinte sur la tablon la dekunuan kokardon, komencis kunmeti dekduan.

—Kaj poste? Kaj poste, mia fraŭlino Czernicka, kaj poste? — babilis la infano sur la piedbenketo. Elf ankaŭ ne dormis, kaj sidante sur la genuoj de la infano, per siaj du nigraj, rondaj okuloj kompreneme rigardis la vizaĝon de la rakontanta fraŭlino.

—Poste — jen kio estis. La bona sinorino amis forte, forte la junan knabinon dum tutaj du jaroj. Ŝi ĉiam havis ŝin ĉe si, ofte kisis, instruis paroli france, gracie paŝi, paroli kaj manĝi, alkudri vitroperlojn sur kanvaso⋯ poste⋯

—Kio estis poste! Kio estis poste?

—Poste ŝi komencis ŝin ami jam multe malpli, kaj fine, foje, okaze ŝi renkontis grafon. Tiam la juna knabino fariĝis tre enuiga kaj — iris en la vestejon⋯ Feliĉe, ŝi havis multe da gusto kaj lerteco, la bona sinjorino ordonis instrui ŝin kudri kaj fari diversajn laboraĵojn. La knabino fariĝis ĉambristino. Sen la ekstrema boneco de la sinjorino, la knabino posedus nun propran dometon en la nobela regiono, edzon, infanojn, sanon kaj ruĝan vizaĝon. Sed la sinjorino certigis al ŝi la estontecon kaj fel⋯ iĉon⋯ De dek du jaroj ŝi kudras por la bona sinjorino elegantajn vestojn dum tutaj noktoj, akre admonas ŝiajn ĉambristinojn kaj lakeojn, ĉiumatene metas sur ŝiajn piedojn ŝtrumpojn kaj ŝuojn, ĉiuvespere faras el ŝia litkovrilo belajn drapiraĵojn⋯ Ŝi estas apenaŭ tridekjara, sed ŝi havas la aspekton de maljuna virino⋯

Malgrasiĝinta, nigriĝinta, ŝi komencas malsaniĝi je la okuloj⋯ ŝia maljuneco baldaŭ venos, kaj ŝi devas memori pri tio⋯ ah, ŝi devas memori pri sia maljuneco, ĉar se ŝi mem ne memorus pri ĝi, hodiaŭ, morgaŭ, kiam la bona sinjorino ekdeziros meti sur ŝian lokon iun alian en la vestejo, ŝi devos reveni en sian nobelan regionon, al la graco de siaj fratoj, kiel objekto de la homa rido, al⋯ mizero! Jen la komenco de la fabelo!

Sur la tablo jam kuŝis dekkelko da pretaj kokardoj. Czernicka prenis longan, susurantan pecon da nigra silko kaj komencis dismeti ĝin en pentrindajn faldojn kaj volvaĵojn. Ŝiaj fingroj tremis pli forte ol antaŭe, kaj la flavaj palpebroj rapide, rapide palpebrumis, eble por sufoki la larmojn, kiuj tremis sur la okulharoj. Ŝi ekrigardis Helkan kaj laŭte ekridis.

—Ah, — ekkriis ŝi — vi malfermis la okulojn, kvazaŭ vi volus engluti min. Ankaŭ la hundo fiksas sur mi siajn okulojn, kvazaŭ ĝi komprenus la fabelon. Ĉar tio estas fabelo⋯ ĉu mi devas daŭrigi?

—Kio estis poste? — murmuretis la infano.

Czernicka kun granda graveco en la voĉo kaj sur la vizaĝo respondis:

—Poste — estis la grafo⋯

—Kaj poste?⋯

—Baldaŭ poste la sinjorino forveturis Parizon kaj en iu urbo, okaze, ekvidis belegan papagon, hele ruĝan, kun ruĝa beko⋯

Helka faris vivan movon.

—En Vieno⋯ — ekkriis ŝi — en ĝardeno, estas multe, multe da papagoj ⋯ belaj⋯ belaj⋯

—Jes, jes; — tiu papago estis ankoraŭ pli bela ol tiuj, kiuj estas en Vieno⋯ La sinjorino ĝin aĉetis por si kaj forte ekamis.

Dum pli ol unu jaro ŝi forlasis ĝin neniam.

Por la nokto oni transportis ĝin kun la kaĝo el la salono en la dormoĉambron.

La sinjorino instruis ĝin paroli france, nutris ĝin per plej bongustaj frandaĵoj, karesis ĝiajn plumojn, kisis ĝian bekon⋯

La faldado de la silko estis finita. Czernicka pendigis elegantan drapiraĵon kaj komencis enuigan krispigon de la ekstremoj de larĝa silka skarpo per kudrilo⋯ Sub la batoj de la kudrilo la ŝtofo akre grincis, la horloĝo super la kofro sonoris la unuan horon, el la salono ree alfluis la tonoj de la violonĉelo kaj fortepiano, kvazaŭ sin ĵetantaj en pasian ĉirkaŭprenon, post pli ol kvaronhora silento.

—Kio estis poste? Kio estis poste? — murmuretis la senpacienca kaj samtempe tima voĉo de la infano.

Elf ne estis scivola pri la fino de la fabelo. Li ekdormis en la ĉirkaŭpreno de Helka.

—Poste⋯ mi ne memoras plu kial kaj kiel, la papago fariĝis tre enuiga⋯ kaj iris en la vestejon. En la vestejo ĝi fariĝis malĝoja, ĉesis manĝi, ekmalsanis kaj mortis. Sed la sinjorino tute ne ploris pri ĝi, ĉar ŝi havis belan hundon⋯

—Mi scias! Mi jam scias! — subite ekkriis Helka.

—Kion vi scias?

—La finon de la fabelo.

—Do diru.

—Ankaŭ la hundo iris en la vestejon⋯

—Kaj poste?

—Poste estis knabino⋯

—Kaj?

—La sinjorino amis la knabinon⋯

—Kaj poste — interrompis Czernicka — ŝi renkontis faman muzikiston⋯

—Kaj la knabino iris en la vestejon.

La lastajn vortojn Helka diris per murmureto apenaŭ aŭdebla.

Czernicka levis la okulojn de super la krispoj de la silko kaj ekvidis infanan vizaĝon je tre stranga aspekto. Tio estis malgranda, bele desegnita vizaĝo, blanka en la nuna momento, kiel oblato, kun du fluoj de silentaj, grandaj larmoj, malrapide ruliĝantaj sur la vangoj, kun du safiraj grandaj okuloj, kiuj de post la larmoj sin levis al ŝi kun senvorta, senfunda, ŝajnas, miro.

Ŝi komprenis la fabelon⋯ sed ŝi ne ĉesis miri.

Czernicka ree palpebrumis kelke da fojoj. Ŝi leviĝis kaj levis la infanon de la piedbenketo.

—Sufiĉe — diris ŝi — da fabeloj kaj maldormo⋯ Vi povas malsaniĝi⋯ Iru en la liton.

Ŝi senvestigis kaj kuŝigis la infanon, kiu tute ne kontraŭstaris, silenta kiel dormo kaj senĉese levanta al ŝi de post la larmoj siajn demandantajn okulojn. Poste ŝi prenis Elfon, kiu jam kuŝiĝis sur la piedbenketo, kaj metis lin sur ŝian litkovrilon, kredeble kiel konsolon. Ŝi sin klinis al la infano kaj tuŝis ĝian frunton per sekaj lipoj.

—Kion fari? — diris ŝi. — Mi ne estis malbona al la papago, mi ne estis malbona al Elf, mi ne estos malbona ankaŭ al vi… dum vi restos ĉi tie. Dormu!

Per malpeza eleganta ŝirmilo ŝi kovris la liton de la infano de la lampa lumo, revenis al la tablo kaj komencis kunkudri per la maŝino blankajn muslinojn. Ŝia seka kaj lerta brako rapide movis la turnilon, kaj la rado de la maŝino bruis, ĝis en la antaŭĉambro la dormema lakeo fermis la pordon post la foriranta gasto. Ekstere jam brilis tiam la malfrua aŭtuna mateno.

El la dormoĉambro de sinjorino Evelino eksonis sonorileto. Czernicka salte leviĝis de la seĝo kaj viŝante la okulojn, lacajn de la tutnokta laboro, rapide elkuris el la ĉambro.

第二章

几个月后，在一个美丽的夏日，埃维琳女士的夏季住处，在她离开期间半荒废的情况下，重新焕发了生机。花园里开满了美丽的星形花和百合花，在客厅里闪耀着镜子和丝绸，餐厅里传来着玻璃和瓷器的轻轻声响。埃维琳女士坐在客厅里，深深地沉思着，有些忧郁和渴望。海尔卡不在她身边，但从房子的深处，从衣帽间时不时传来她欢快的声音和笑声。切尔尼茨卡坐在衣帽间的地板上，打开着箱子，从中拿出一些有多种用途的物件；三位裁缝女工和瓷器女工亚诺娃站在周围，充满好奇和敬佩，时而看着小姐，时而看着从箱子中取出的欧洲工艺品的奇迹。所有人一致声称，小姐长大了。

事实上，海尔卡已经到了一个年龄，女孩们开始得到腿部的特有长度，破坏了她们身形的和谐。这双又长又细的腿，穿着非常窄且高的绑腿，使她有些笨拙。她俊俏的脸庞因为体重增加失去了它的优雅，可能是因为长途旅行；露出的手臂又细又红。这个美丽的孩子开始变成一个笨拙的成熟少女，她的特征预示着未来会成为一个美丽的小姐。

砖匠女工，通过其中一个女仆被告知有关女主人和小姐的回归，不禁对她的小侄女以及后来从两个独立的手提箱中取出的物品表示了极大的赞赏。她坐在赫尔卡旁边的地板上，赫尔卡向她展示了一切并加以解释。

"第二顶帽子……"她惊呼道，"第三顶……第四顶……天啊！赫尔卡，你有多少顶帽子？"

"就像衣服一样多，姑姑，每套衣服都有相应的帽子……"

"那个盒子呢？"

"那是旅行盒。"

"它是干什么用的？"

"怎么，还需要问吗？看啊，姑姑，这里有各种物件，一切洗漱、梳理和穿衣所需的东西……这是梳子、肥皂、刷子、各种别针、香水……"

"耶稣，玛利亚！这一切都是你的？"

"是的，我的。女主人有一个更大的盒子，而我有一个小的。"

这时，丝彩尼卡从包裹中取出了各种大小的玩偶和其他各种各样的儿童玩具。那里有美丽的鸟，仿佛活生生的，奇怪的小动物，银色和金色的玩具容器等等。亚娜娃大大张开嘴巴，但在同一时刻，悲伤掩盖了她的眼睛。

"我的上帝！"她低声叹息道，"我的孩子们至少可以看到这一切......"

赫尔卡看着她片刻，沉思了一会儿，然后兴致勃勃地把一些玩具和布料送给了亚娜娃。

"拿去吧，姑姑，这把小提琴给Marylka，这条鱼给Kasia......这个口琴给Wicek......只需要碰它，它就会演奏得很好......拿去吧，姑姑，拿去！"

女主人并没有生气，女主人是如此善良，如此爱我...

也拿这块红色手绢给Marylka，给Kasia那块蓝色的...　　我有很多这样的手绢...　　很多...

雅诺娃眼含泪水，想用她有力的臂膀抱住这位亲戚，但害怕弄皱她卷曲而复杂的衣服，用粗手抚摸着孩子的丝绸面孔。她坚决拒绝接受这些礼物，但起身站起来后，她说道：

"你是个好孩子！尽管你长大成为一个大家闺秀，你并不轻视那些曾经给你提供庇护的穷亲戚..."

当雅诺娃说这话时，切尔尼察，此时低头弯腰在箱子上的位置，站直身体，迅速地带着重音说或者低声细语道：

"啊，我的雅诺娃女士！谁能知道，她将来会是怎样的：伟大还是卑微呢？"

雅诺娃没有回答，因为她带着带着含泪微笑的眼神看着赫尔卡，赫尔卡笑着，像一只欢快而顽皮的猫一样跳跃着长长的腿，绕着她转圈，并把所有口袋里装满了糖果。

"这是给Marylka的 —— 她喊道 —— 这是给Kasia的... 还有这个，姨妈，给叔叔..."

突然她颤抖起来，变得忧伤。

"这里真冷！"她用生气的口吻说道 —— 意大利那边要温暖得多得多... 那里阳光灿烂... 天气很好... 那些美丽的橙树... 我们不能在这里待太久... 可能我们会再次去那里，那里那么温暖...

丝彩尼卡想给她穿上一件像羊毛一样柔软的暖外套，但赫尔卡把自己从她手中挣脱出来。

"啊！"她大声喊道，"我多久没有见到女主人了；我要去找女主人！再见，姨妈！"

然后她用手向雅诺娃送去一个吻，然后跳跃着唱着跑开了：

"我要去找女主人... 我亲爱的... 我的黄金... 我最爱的人..."

"她是多么爱她的善良女主人！"雅诺娃转向丝彩

尼卡说。

那天晚上，包裹在白色睡袍里的埃维琳女士，坐在化妆室前，忧郁地叹息着。

赫尔卡躺在她雕刻般的床上，半浸没在羊毛、蝴蝶结和刺绣中，已经深深地入睡了；高高的烛台上燃烧着两支蜡烛；在埃维琳女士的扶手椅后面，丝彩尼卡站着，为主人的夜间休息梳理和解开她那头乌黑、长长的头发。在短暂的沉默后，埃维琳女士转向女仆：

"你知道吗，我的丝彩尼卡，我有一个困扰……"

"什么困扰？用什么办法？"女仆满含爱意地问道。

经过短暂的犹豫，埃维琳女士用虚弱的声音回答道：

"和赫尔卡在一起！"

他们沉默了相当长时间。慢慢、温丝彩尼卡柔地用刷子梳理着黑色、丝绸般光滑的头发。她的脸在化妆室的镜子中闪烁着，被沉思所遮蔽。

片刻后，她说道：

"小姐…在长大。"

—她在成长，我的丝彩尼卡…而我们应该开始关注她的教育了。我绝对不想在家里雇佣家庭教师，因为我不喜欢家里有陌生人......真的，我不知道该怎么办。

丝彩尼卡再次沉默了一会儿。然后叹了口气说道：

—真可惜，小姐已经不再是那样小的孩子了，她来到我们这里时是那么的天真无邪...

埃维琳夫人也叹了口气。

—这是真的，我的丝彩尼卡，只有那些小孩子才是真的可爱，他们带来纯真的快乐。赫尔卡已经离开了最令人愉快的童年时光。我们必须教导她，警告她...

—是的，我注意到，您最近很经常被迫，夫人，对小姐进行警告...

—是的。她的性格发生了很大的变化。她变得任性...她因小事而对我发脾气...

—您让小姐习惯了您的非凡善良。—没错。我宠坏了她。但是现在很难再像以前那样宠爱一个大姑娘，就像我在她还那么小、可爱、撒娇的时候那样...

—满足小姐是很困难的...今天她因为我梳理她时稍微用力拉了一下她头发的卷发而对我大发雷霆...

—真的？她对您大发雷霆了？我记得，过去她经常嘶嘶声和在椅子上跳跃，当您梳理她时…但在她小的时候，那很有趣，增加了她的魅力…现在这是无法容忍的…我希望我错了，但似乎我认为，她将会…成为一个易怒的女人…

—您让小姐习惯了您的非凡善良，夫人，——丝彩尼卡重复道。

他们沉默了。晚间的梳妆已接近尾声。丝彩尼卡的声音变得更加低沉和颤抖，她的脸靠在夫人头上，夜帽轻轻压在头上。

—也许您近日会有客人，夫人…

—客人！什么客人，我的丝彩尼卡？谁？

—也许会来那位您在佛罗伦萨听过音乐会的先生，后来在您这里几个晚上如此美妙地演奏…

夫人埃维琳的脸上涌现出红晕，长途旅行和深夜使她看起来像一朵凋谢的花朵。

—丝彩尼卡，他演奏得多么美妙啊！他是一位真正伟大的艺术家！

她兴奋起来，声音变得更响亮，眼睛重新闪烁。

—而他是多么帅气啊！—丝彩尼卡低声咕哝道。

—是的吧？哦，意大利人，如果他们中的任何一个都是美丽的，那他就美得像梦一样…

她慢慢地走过卧室和洗手间之间的空地，当她脱去衣服，丝彩尼卡把床单折叠成画一般的褶皱和装饰品时，她开始用梦幻般的声音说道：

—我的丝彩尼卡，我请求您，确保房子里一切井然有序美观...更新客厅...您知道如何做...因为您具有很高的品味和技巧...也许...某人会来拜访我们...

在在接下来的几个晚上，埃维琳夫人和塞尔尼茨卡在卫生间里进行了短暂的时断时续的对话。

—你有没有注意到，塞尔尼茨卡，海尔卡变得不美了吗？

—看起来，小姐不再像她以前那么美丽了。

—她变得完全不优雅。我不明白她是怎么长出这么长的腿的...她的下巴也奇怪地变长了。

—不过，小姐还是非常美丽的。

—她不再像几年前我们所期待的那么美丽。我的上帝！时间是如此匆匆流逝，流逝，带走了我们所有的希望。

但在接下来的一天，她的脸上闪烁着甜蜜的希望。桌子上放着一封香气扑鼻的从意大利来的信。

—我的塞尔尼茨卡，我们将有客人。

—上帝保佑！这对您来说会更加欢快，夫人。

自从您从外地回来后，您总是如此忧郁。

—啊，我的塞尔尼茨卡，我怎么能快乐起来！这个世界是如此悲伤！特别是那些渴望理想、完美的灵魂，总是无法实现...

沉默片刻后，她补充道：

—比如，海尔卡...

她曾经是多么美丽、可爱、有趣的孩子...现在...

—自从我们从外地回来后，小姐总是暴躁...或者可能是忧伤，我不知道...

—忧伤？她为什么要伤心呢？她生气地责备我，说我不再像以前那样不断地关心她，就像从前一样...

我的上帝，我难道一辈子只能关心这个孩子，而无法关心其他事情吗？...

—我们已经惯坏了她，夫人，您对小姐太过宠爱 — 兹尔尼茨卡重复着她的话。

的确，赫尔卡既悲伤又愤怒。她被过度丰富的愉快印象所养育，她的神经在满足感的影响下变得脆弱，这种满足感的原因和性质她并不清楚，但它每时每刻都激发着她的哭泣或愤怒。在梳妆和穿衣时，她像疯狂一样尖叫，踢踏着地板，握紧拳头，几乎要打击女仆兹尔尼茨卡。当埃薇琳夫人用沉默或几个字回应她亲昵的闲聊，或者关上自己的卧室门时，这个孩子坐在客厅的一个角落里，坐在低矮的长凳上，紧缩着身体，满面涨红，嘟囔着愤怒的独白，淹没在眼泪中。后来，她那肿胀而红肿的眼睛最终使埃薇琳夫人相信赫尔卡是个脾气暴躁的女孩，而且明显变得越来越不好看。

有时这个孩子会想要故意激怒那个变得冷淡漠不关心的保姆；谁知道呢，也许这样她就能成功地吸引她的注意力？当埃薇琳夫人凝视着书本陷入深思时，赫尔卡会用小心翼翼的步伐，偷偷走到钢琴旁，开始用双手强力敲击琴键。曾经，这样的一段刺耳音乐会引起埃薇琳夫人的开怀笑声和对孩子的一阵亲吻。

但现在赫尔卡变得不再那么有趣了，埃薇琳夫人经常淹没在悲伤和叹息中。在这种情况下，她会突然站起来，跑向孩子，用严厉的警告惩罚她，有时甚至轻轻地打她那娇弱的手。

当赫尔卡，哭泣和颤抖着，跪在她面前，亲吻她的膝盖和脚，低声吟唱着充满爱的话语时。

"我的亲爱的，我的黄金…我的最亲爱的…我请求…我请求…"

她闭上眼睛，双手交叉在胸前，跪在地上，沉默了。她感到，深深而痛苦地感到，她想请求某事，但是关于什么和怎么请求 —

她不知道。

在这样的场景中的一天，管家在客厅门口出现，宣布一个有意大利名字的客人。埃薇琳夫人，已经开始被这孩子谦卑而充满魅力的姿态感动，心存善意，准备将她拥入怀中，— 在听到这个名字时，她颤抖起来，站了起来，迅速走向这位美丽的意大利人，这位光荣的艺术家，走进客厅。

当她向他致意时，她脸上覆盖的微笑和红晕，使她看起来像一朵盛开的玫瑰。访问持续了很长时间 —

直到深夜。主人和客人用意大利语交谈，带着极大的活力，明显地表现出彼此互相取悦的愿望。很快他们拿来了大提琴；埃薇琳夫人坐在钢琴旁，伴奏这位著名艺术家的演奏。在一次间歇中，他们开始更轻声地交谈 —

可能想要传达彼此一些私密和秘密的东西，因为他们的头靠在一起，意大利人伸出手去碰触女人那放在琴键上的白皙手指，但同时埃薇琳夫人移开了他的手，她的眉头紧锁，表现出不快的情绪，她不耐烦地咬着嘴唇，开始大声谈论音乐。引起她内心突然激动的原因和面部表情是，她的眼睛遇见了一双孩子的眼睛，它们像意大利的天空一样蔚蓝，像那样炽热。

赫尔卡，变得安静和沉默，把她的目光牢牢地投向她，像一只受伤的鸟。她坐在一个低矮的凳子上，从钢琴上投下的阴影落在她身上，像一道彩虹一样看着那位照顾她的人。在这种炙热的注视中，固执地指向一个点，可以读出抱怨、恐惧和请求……在接下来的几天里，客人和埃韦林女士之间不能互相说出任何亲密或秘密的事情；他们的交谈必须在未被发现的小路上进行，因为赫尔卡几乎不离开客厅，她很好地理解并且甚至可以不错地说意大利语。

几天后，埃韦林女士等待着她亲爱的客人，坐在沙发上，额头靠在手上，陷入深沉而甜蜜的沉思。她在想什么？可能是上帝在他无限的善良中，把一个温暖而明亮的阳光投射到她生活的黑暗和寒冷的道路上。这束光成了对她而言在广阔世界中偶然相遇的天才和美丽的人，现在被她接纳为灵魂和心灵的亲爱的朋友。哦，他将在她的生活中扮演多么重要的角色！她通过呼吸急促感受到这一点，通过生命和青春的波涛，似乎，突然填满了她整个存在，仿佛吹鼓了她的心脏。这个世界对她来说是多么空虚和乏味，她觉得自己如此孤单，如此被一切所放弃。她已经开始僵硬，年老正在临近，死亡的冷漠或黑暗的忧郁已经在威胁她，当神一次又一次证明，它保护着她，即使在最深的不幸中，也不应该失去对这种保护的信任。只要那位天才、明亮和亲爱的朋友快点来…

埃维利诺女士的沉思被一双小手打断了，仿佛雪花落在她黑色衣服的点点上，并且胆怯地请求似地爬到她的脖子上。被唤醒后，她摇晃着身体，停止了不耐烦，轻轻地把赫尔卡推开。她把她的不耐烦理解为一种快乐的玩笑。她被爱得太久，以至于很容易相信这种拒绝。她轻声笑了起来，温柔地又胆怯地把手沉在点点上，试图触摸和拥抱她的脖子。但这一次埃维利诺女士从沙发上跳了起来，按响了铃：

—切尔尼茨卡小姐！

切尔尼茨卡带着一块丝绸织物在手中，颈上系着丝线，胸前有许多别针，她脸色发红，匆忙忙地走过来。她已经在服装店里管理了一家新的服装工厂超过一周。

—我的切尔尼茨卡，带走赫尔卡，她可以留在你那里，当我有客人的时候。她妨碍我和客人交谈...她让我感到烦躁...

—小姐不礼貌！

说着，女仆低头看着这个孩子，她习惯性的笑容在她的嘴唇上滑过，略带讽刺和些许悲伤；她的胸前紧绷着一块黑色狭窄的胸衣，因为被抑制的笑声或者可能是愤怒而颤抖，无法确定。拿着赫尔卡的手，她站在那里，脸色苍白，像一个小柱子一样静止不动，她盯着埃维利诺女士的脸看了一会儿。

—小姐变了...—她慢慢地说道。

—变了—埃维利诺女士重复了一遍，叹了口气，带着最高度不满的姿态，补充道：—我不明白，我怎么能这样爱这个令人厌烦的孩子！...

—哦！以前完全不一样！

—亲爱的切尔尼茨卡，难道不是吗，完全不同了...她曾经是美丽的...但现在...

—现在她变得令人讨厌...—非常讨厌...带走她，让她永远留在你那里...

切尔尼茨卡带着惊讶和如同石头般苍白的赫尔卡走出去。在门槛处，她还听到了：

—亲爱的切尔尼茨卡！

她以谦卑的速度和讨好的微笑转身。

—还有我的那件亮丝绸服装？请确保餐桌布置

得漂亮...也不要忘记甜点...你知道，意大利人几乎只吃水果和冰淇淋...

—一切都按照您的要求来办，女士，我只是请求一下关于钥匙和织物的事情和为所有东西准备好的金钱...

在切尔尼茨卡的房间里一片寂静。挂在无底箱子上面的时钟敲响了午夜。

在床帷后的窗帘旁边，遮挡着女仆的床，靠墙摆放着一张白色的榛木婴儿床，床单雪白如霜。在缝纫机旁边的桌子上，灯光闪烁着，背景明亮，可以清晰地看到黑色轮廓的女人，认真地工作着。在她的脚下，坐在低矮的脚凳上，赫尔卡守护着睡着的艾尔芬。切尔尼茨卡小心地用黑丝绸制作和缝制蝴蝶结，但当从房子的深处，从客厅里传来钢琴和大提琴合奏的声音时，她注视着低头的赫尔卡，轻轻地用戒指戴着的手指指着她，说道：

—你听见了吗？你记得吗？你也曾经在那里！

孩子轻轻地抬起了几天来因为病而苍白的脸，默默地用思索的眼神看着比她更年长的同伴，仿佛与她一同成长。

"为什么你睁开双眼那么大，盯着我看？"

"为什么你这么惊讶？还是去睡觉吧..."

你不想吗？你觉得女士会叫你！这不会很快发生的。我有点同情你。你想听吗？我给你讲一个漫长而美丽的故事…"

赫尔卡跳上椅子，把埃尔夫惊醒了。故事！她曾经经常听到女士埃韦林讲的故事。

"安静，埃尔夫，安静！但不要睡觉！听着！这个故事会很长而美丽。"

丝彩尼卡把准备好的十块钱扔在桌子上，开始缝制第十一个蝴蝶结，并且从眉毛下面看着有点快乐的孩子。她的手指有些颤抖，目光变得忧郁。过了一会儿，她不停地缝制着，开始用低的声音讲述：

"曾经在一个贵族地区，有一个年轻美丽的姑娘。她在父母和兄弟姐妹中快乐地生活着，在蓝天下、绿地中，虽然辛苦工作，但是健康、新鲜、红润和快乐。她已经十五岁了，已经选定了一个邻居男孩作为未来的丈夫，当突然，她被一个富有善良的女士看到。这位女士在某个星期天看见了这位年轻姑娘，当她穿着节日服装从森林里提着一罐草莓走出来。女士看见了她并立刻爱上了她。为什么呢？谁也不知道。据说这位姑娘有美丽的眼睛，也许在绿色的田野上看起来很美丽，在金色的小麦中，穿着腰带系着红丝带的衣服，手里拿着一罐草莓。善良的女士乘坐着漂亮的马车驶到她父母家门前，把她带走了。"

她说，她将给她教育，引导她进入这个世界，确保她的未来和幸福…未来…和幸…福！

她用带有口音的声音念出最后两个词，然后将第十一个蝴蝶结扔在桌子上，开始缝制第十二个。

"然后呢？然后，我的小姑娘丝彩尼卡，然后呢？"

小孩在脚凳上唠叨着。埃尔夫小狗也没有睡着，坐在小孩的膝盖上，用她的两只黑色圆眼睛关切地看着讲故事的小姐的脸。

"然后—事情发生了。这位好女士十分深爱这位年轻姑娘整整两年。她总是把她带在身边，经常亲吻她，教她说法语，优雅行走，说话和进餐，缝制玻璃珠在画布上…然后…"

"然后是什么！然后是什么！"

"然后她开始不再那么深爱她，最后，有一天，她偶然遇见了一位伯爵。那时，这位年轻姑娘变得非常无聊，她进了厨房...幸好，她有很多品味和技巧，好女士命令教她缝纫和做各种工作。这个姑娘成为了女仆。如果没有好女士的极好善意，这个姑娘现在可能会在贵族区拥有自己的房子，丈夫，孩子，健康和红润的脸色。但好女士给了她未来和幸...福...十二年来，她为好女士缝制着优雅的服装整夜，严厉地指导她的女仆和女佣，每天早晨给她穿上袜子和鞋子，每个晚上为她的床铺做漂亮的布料...她才三十岁，但看起来像一个老妇人..."

虽然她变老了，变黑了，她开始眼睛疾病...她的年老很快就会来临，她必须记住这一点...啊，她必须记住自己的年老，因为如果她自己不记住，今天，明天，当好女士想要在她的位置上安排另一个人在橱房里时，她将不得不回到她高贵的领地，回到她兄弟姐妹的宠爱之中，成为人类嘲笑的对象，进入....悲惨！这是寓言的开始！

桌子上已经摊开了十二个准备好的蝴蝶结。丝彩尼卡拿起一大块轻轻摩擦的黑色丝绸，开始将其折成画布上的褶皱和卷曲。她的手指比以前颤抖得更厉害，金黄色的眼睑迅速地眨动，也许是为了抑制在眼角颤动的泪水。她看了一眼赫尔卡，大声笑了起来。

"啊，"她喊道，"你睁开眼睛，好像想要吞掉我。甚至狗也盯着我看，好像懂得这个寓言。因为这是一个寓言...我应该继续吗？"

"接下来发生了什么？"小孩低声问道。

丝彩尼卡声音中带着庄严，脸上也带着庄严地回答说：

"接着一来了伯爵..."

"然后呢？"

"很快之后，好女士去了巴黎，在某个城市，偶然看到一只漂亮的鹦鹉，鲜红色的，嘴巴也是红色的..."

赫尔卡做出了生动的动作。

"在维也纳...,"她叫道，"在花园里，有很多，很多鹦鹉...漂亮...漂亮..."

"是的，是的；那只鹦鹉比维也纳的那些还要漂亮...好女士为自己买下了它，并深深地爱上了它。她从来不曾离开它一个多月。

晚上，人们将它和鸟笼从客厅搬到了卧室。女士教它说法语，用最美味的食物喂养它，抚摸着它的羽毛，亲吻它的嘴......丝绸的折叠已完成。丝彩尼卡挂起了一块优雅的绸缎，用针线在宽丝巾的末端开始细致地折叠......在针线的敲击声中，布料尖利地摩擦，箱子上的钟声敲响了第一个小时，客厅里再次传来大提琴和钢琴的声音，仿佛它们在投入激情的拥抱中，超过四十五分钟的沉默。

"接下来发生了什么？接下来发生了什么？"孩子不耐烦而又充满恐惧的声音低语着。

埃尔夫小狗对寓言的结局并不感兴趣。他在赫尔卡的怀抱中入睡了。

"后来......我不再记得了，为何以及如何，那只鹦鹉变得非常无聊......然后走进了衣柜。在衣柜里，它变得悲伤，停止进食，开始生病并最终死去。但女士并没有为它哭泣，因为她有一只美丽的狗......"

"我知道！我知道了！"突然赫尔卡喊道。

"你知道什么？"

"寓言的结局。"

"那么告诉我。"

"然后狗也走进了衣柜......"

"然后呢？"

"接着是一个女孩......"

"然后呢？"

"女士爱上了这个女孩......"

"然后——"

丝彩尼卡打断道，"她遇到了一位著名的音乐家……"

"然后女孩走进了衣柜。"

Helka最后的几句话只是轻声细语，几乎听不见。

丝彩尼卡抬起头，从丝绸的皱褶上看到了一个非常奇怪的婴儿脸。那是一个小而精致的脸，此刻白得像面饼，两道无声的大泪滴缓缓滚落在脸颊上，两颗蓝色的大眼睛，从泪水后抬起，用无声的、深邃不尽的、带着惊奇的目光看着她。

她明白了这个寓言……但她仍然不停地惊讶。

丝彩尼卡再次眨了几次眼睛。她站起身，把婴儿从脚凳上抱了起来。

"够了，"她说，"够了寓言和失眠……你可能会生病……去睡觉吧。"

她脱去婴儿的衣服，把他放在床上，他完全没有反抗，像睡着一样静静地看着她，眼中带着无尽的问题。然后她把已经躺在脚凳上的埃尔夫小狗抱起，放在她的被子上，可能是为了安慰。她弯下腰，用干燥的嘴唇轻轻碰了碰他的额头。

"要怎么办？"她说，"我没有对鹦鹉做坏事，我没有对Elf做坏事，我也不会对你做坏事……只要你留在这里。去睡觉吧！"

她用一把轻巧的遮阳伞把婴儿的床从灯光中遮住，回到桌子前，开始用缝纫机快速缝制白色的粗布。她干燥而灵巧的手臂迅速地转动着手柄，缝纫机的轮子嗡嗡作响，直到卧室的女仆在离去的客人后关上了门。外面已经是深秋的早晨。

在埃维丽娜夫人的卧室里响起了闹钟的声音。切尔尼茨卡从椅子上跳起来，擦拭着眼睛，疲倦地离开了房间。

Ĉapitro III

Duonjaro pasis de la rea forveturo de sinjorino Evelino, kiu forlasis la urbon baldaŭ post la forveturo de la fama artisto el Ongrod. Eta, sed densa marta pluvo senbrue falis de la griza ĉielo, kaj kvankam ekstere pli ol unu horo mankis ankoraŭ ĝis la subiro de la suno, en la malalta, malgranda dometo de la masonisto Jan jam fariĝis mallume.

En la malklara kaj pluva printempa tago, du malgrandaj fenestroj lokitaj preskaŭ tuj super la tero, avare lumigis la sufiĉe vastan ĉambron, kun malalta plafono sur traboj, kun muroj, kovritaj per nigriĝinta kaj malglata stukaĵo, kun argila planko kaj granda forno por baki panon kaj kuiri, pleniganta preskaŭ kvaronon de la ĉambro. La forno estis granda, tamen inter la malnovaj, malaltaj kaj maldikaj muroj oni sentis la amasigitan rancecon kaj malsekecon. Krom tio ĉe la muroj staris tie benkoj, kelke da seĝoj el flava ligno, malgranda komodo kun sanktaj pentrajoj, du malaltaj simplaj litoj, barelo kun akvo kaj barelo kun acidigita brasiko, kaj proksime de la forno mallarĝa kaj malalta pordo kondukis en etan kameron, dormoĉambron de la posedantoj de la dometo.

Nun la familio de la masonisto, kolektiĝinte en la malvasta ĉambro, sidiĝis por vespermanĝi. Jan, diktrunka, forta viro kun malmolaj starantaj haroj, densaj kvazaŭ arbaro, ĵus revenis de la laboro, demetis la antaŭtukon, ŝmiritan de argilo kaj kalko, kaj sidiĝis ĉe la tablo en veŝto kaj en manikoj de dika ĉemizo.

Janowa, nudpieda, en mallonga jupo kaj tuko, krucita sur la brusto, kun dika senorda harligo, ĵetita sur la dorson, ekbruligis grandan fajron en la profundo de la forno kaj kuiris tie farunbuletojn. Apud la muro, sur lito, sidis kaj gaje babilis areto da infanoj. Ili estis tri: dek dujara knabo, diktrunka kaj forta, kun densaj kaj starantaj haroj, kiel la patro, kaj du knabinoj, ok- kaj dekjaraj, nudpiedaj, en jupoj longaj ĝis la planko, sed ruĝvangaj kaj plenigantaj la tutan ĉambron per sia rido. Ridigis ilin tiel Wicek, kiu kuŝante sur la lito kaj strange petolante per la nudaj piedoj, rakontis al ili pri siaj aventuroj, travivitaj en la malsupera lernejo, kiun li vizitis de la komenco de la jaro. Ĝis kiam Janowa ekbruligis la fajron, povis ŝajni, ke en la ĉambro, ekster la gepatra paro kaj la tri infanoj, estis neniu. Sed kiam la brilo de la fajro lumigis la malluman kontraŭan angulon de la ĉambro, aperis ankoraŭ unu malgranda homa estaĵo, sidanta sur la alia lito.

Tio estis knabino, ĉirkaŭ dekjara, kies vizaĝon kaj vestojn malklare kaj flagrante lumigis la flamo de la fajro, apenaŭ atinganta la angulon. Oni povis nur vidi, ke ŝi sidas sur la lito, krucinte sub si la krurojn, kaŝita en la plej profunda angulo, kuntiriĝinte de la malvarmo. Tuj apud ŝi brilis bronzaj butonoj, ornamantaj malgrandan, sed elegantan kofron, el kiu du malgrandaj manoj, blankaj kiel oblato, elprenis de tempo al tempo diversajn malgrandajn objektojn. El la movo de la manoj oni povis diveni, ke la estaĵo, kuntiriĝinta de la malvarmo, longe kaj zorge kombas per ebura kombilo siajn harojn, en kiuj la flagrantaj flamoj de la fajro iufoje ekbruligis orajn brilojn. Unu fojon ekbrilis ankaŭ spegulo en arĝenta kadro⋯

—Panjo, panjo! — ekkriis ia malpli granda el la du knabinoj, ludantaj sur la lito — Helka ree sin kombas kaj sin rigardas en la spegulo⋯

—Ŝi jam trian fojon sin kombas hodiaŭ, kaj jam du fojojn ŝi lavis siajn ungojn — malestime rimarkis la pli aĝa knabino.

—Elegantulino! Pupo! — aldonis la knabo — ĉu ŝi povas, kiel ni, sin lavi en la sitelo⋯ ŝi trempas la viŝtukon en la akvo kaj frotas sian vizaĝon⋯ Mi rompos al ŝi la spegulon, ni vidos, kion ŝi faros tiam!

Kaj ĉiuj tri, brue piedfrapante per la nudaj piedoj, sin ĵetis al la malluma angulo.

—Donu la spegulon! Donu! Donu!

Du malgrandaj manoj, blankaj kiel oblato, silente kaj sen kontraŭstaro sin etendis el la ombro kaj transdonis al la petolanta areto la spegulon en la arĝenta kadro. La infanoj kaptis ĝin, sed ne kontentaj ankoraŭ de la akiro, detiris de la lito la kofron el angla ledo kaj sidiĝinte ĉirkaŭ ĝi sur la tero, komencis eble la centan fojon rigardi la kombilojn, brosojn, malplenajn boteletojn de parfumoj kaj skatolojn por sapoj.

Dume Janowa, tute ne atentante la kriojn kaj ridojn de la infanoj, eble eĉ amuzita de ili, parolis kun la edzo pri lia hodiaŭa laboro, pri la ĉagrenoj, kiujn kaŭzis al ŝi la najbarino, pri Wicek, kiu hodiaŭ, maldiligentulo, ne iris en la lernejon.

Poste, portante al la tablo grandan pladon, de kiu leviĝis abunda vaporo, ŝi alvokis la infanojn al la vespermanĝo.

Oni ne bezonis ripeti al ili la alvokon. Wicek kaj Marylka per unu salto jam estis sur la benko, apud la patro, al kiu ili ĵetis sur la kolon po unu brako. Kasia saltis al la tablo alkroĉite al la jupo de la patrino, kiu irante al la tablo tranĉis grandan bulon de nigra pano. Janowa sin returnis al la angulo.

—Helka! — diris ŝi — kaj vi, kial vi ne venas manĝi?

Helka deglitis de sur la lito, kaj kiam ŝi iris al la familia tablo, ŝia eta figuro, plene lumigita, strange, akre kontrastis la fonon, ŝin ĉirkaŭantan. Malgrasa kaj tro alta por sia aĝo, ŝi portis pelton el blua atlaso, ĉirkaŭkudritan per cigna lanugo.

La atlaso estis ankoraŭ freŝa kaj brilanta, sed la lanugo, iam neĝe blanka, ŝajnis kvazaŭ eltirita el cindro. La pelto, jam tro mallonga por ŝia aĝo, atingis apenaŭ ŝiajn genuojn; pli malsupre, ŝiaj longaj, malgrasaj kruroj estis duonkovritaj per ĉifonoj de ŝtrumpoj, maldikaj kiel aranea reto, kaj per altaj botetoj, butonumitaj per longa vico da brilantaj butonoj, sed kun truoj, tra kiuj oni povis vidi la piedojn, preskaŭ nudajn. Ŝian longforman kaj malgrasan vizaĝon, kun la grandaj enfalintaj okuloj, ĉirkaŭis fajraj haroj, zorge kombitaj kaj zonitaj per multekosta rubando, sendube tute freŝa. Inter la malaltaj, malhelaj muroj, inter la nudpiedaj infanoj en dikaj vestoj, ŝia kostumo, la delikateco de ŝia vizaĝo, movoj kaj manoj, stampis ŝin per profunda disonanco kun la fono. Dum unu momento oni aŭdis nur la frapadon de la kuleroj je la plado kaj ŝmacadon de kvin buŝoj, kiuj manĝis kun granda apetito la farunbuletojn kun lardo kaj nigran panon. Ankaŭ Helka manĝis, sed malrapide, delikate kaj tre malmulte. Kelke da fojoj ŝi levis al la buŝo panon kaj buletojn, kaj metinte la kuleron sur la tablo, sidis silente, kun la manoj krucitaj sur la genuoj, rektigita sur la seĝo, tiel alta, ke ŝiaj piedoj en la parizaj truitaj botoj ne atingis la teron.

—Kial vi ne manĝas plu? — sin turnis al ŝi Janowa.

—Mi dankas, mi plu ne volas — respondis ŝi kaj tremante de la malvarmo, ŝi kovris sin, kiom ŝi povis, per la atlasa pelto, tro mallarĝa kaj mallonga.

—Per kio vivas ĉi tiu infano, vere mi ne scias! — rimarkigis Janowa. — Se mi ne fritus al ŝi ĉiutage peceton da viando, ŝi jam de longe mortus de malsato. Eĉ la viandon ŝi neniam finmanĝas.

—Eh — kun flegmo rimarkigis Jan — ŝi kutimos iam, kutimos⋯

—Ĉiam estas al ŝi malvarme kaj malvarme⋯ Niaj infanoj kuras nudpiede, sole en ia ĉemizoj, sur la korto, kaj ŝin ĉi tie en la ĉambro ĉe la forno, en ŝia kvazaŭ pelto senĉese skuas la febro⋯

—Eh — ripetis Jan — iam ŝi kutimos⋯

—Certe! — jesis Janowa — sed nun oni ne povas rigardi ŝin sen kompato⋯ Ofte mi varmigas la temaŝinon kaj donas al ŝi teon.

—Vi bone faras — jesis la masonisto — oni ja pagas al ni por ŝi⋯

—Oni pagas, estas vere, sed ne sufiĉe, por ke ni povu ŝanĝi nian mizeron en riĉecon por ŝi⋯

—Superflue estus, ŝi kutimos.

Wicek kaj Marylka ne ĉesis ankoraŭ sin plenigi per pano kaj farunbuletoj. Kasia mokis ilin kaj malhelpis manĝi. Jan, viŝinte la buŝon per la maniko de la ĉemizo, komencis demandi la filon pri lia lernado kaj konduto en la lernejo; en la apuda kamero ekploris kelkmonata infaneto. Janowa, kiu estis portanta la pladon, kulerojn kaj duonon da panbulo al la forno, sin returnis al Helka.

—Iru, balancu Kazion kaj kantu al li, vi ja scias···

La ordonon ŝi proklamis per delikata voĉo, multe pli delikata ol tiu, per kiu ŝi parolis al la propraj infanoj.

Helka, obee kaj silente, per malpezaj kaj graciaj paŝoj, tute ne similaj al la vivegaj kaj pezaj paŝoj de la infanoj de la masonisto, sin enŝovis en la kameron, preskaŭ tute malluman, kaj post momento la unutonan bruon de la lularkoj akompanis malforta, sed pura kaj plenda infana voĉo. Ŝi ne sciis aliajn kantojn ol francajn, sed de tiuj ĉi ŝi memoris multe. La franca kantado ĉiam same ekscitis la admiron de la familio de la masonisto, eble ĉefe tial, ke ĝi estis nekomprenebla por ili.

Ankaŭ nun eksilentis la infanoj. Jan, per ambaŭ kubutoj apoginte sin sur la tablo, kaj Janowa, lavante la vazojn ĉe la forno, silentls. En la malluma kamero unutone frapis la lularkoj, kaj la pura, malĝoja infana voĉo kantis melankolie, malrapide la amatan francan kanton:

Le papillon ŝenvola.
La rose blanche ŝeffeuilla.
La la la la la la···

Janowa iris al la tablo, Jan levis la kapon. Ili ekrigardis unu la alian, balancis la kapojn kaj ekridis, iom ironie. iom malĝoje.

Jan eltiris el la brusta poŝo malfermitan koverton kaj ĵetis ĝin sur la tablon.

—Jen! Mi renkontis hodiaŭ la bienfarmanton de sinjorino Krycka. Li volis iri al ni, sed ekvidinte min, alvokis min kaj transdonis ĉi tion⋯

Janowa per siaj dikaj fingroj, kun videbla kaj profunda respekto elprenis el la koverto dudekkvin-rublan bankan bileton, prezentantan la duonon de la sumo, kiun sinjorino Evelino promesis pagi ĉiujare por la nutrado kaj edukado de Helka, ĝis kiam ŝi fariĝos grandaĝa.

—Tamen — komencis Janowa — ŝi sendis⋯ Dio estu benata⋯ mi pensis. ke⋯

Ŝi interrompis, ĉar apud ŝi, ĉe la tablo stariĝis Helka. El la malluma kamero, kie ŝi balancis la infanon, ŝi vidis, kiam la masonisto donis al la edzino la koverton kun la mono kaj aŭdis la nomon de sia iama zorgantino. Tuj revenis ŝia iama viveco, ŝi desaltis de la lito de Janowa, apud kiu staris la lulilo, kaj saltis al la tablo, kun ruĝa vizaĝo kun brilantaj okuloj, ridetanta kaj tremanta, sed de emocio, ne de malvarmo.

—De la sinjorino — kriis ŝi — de la sinjorino⋯ ĉ u⋯ ĉu⋯

Spiro mankis al ŝi.

—Ĉu la sinjorino skribas ion pri mi?

Jan kaj Janowa ree rigardis unu la alian, balancis la kapojn kaj ekridetis.

—Eh, vi malsaĝa infano! Ĉu la sinjorino skribas pri vi? Kia ideo! Ŝi sendis monon por vi. Estu danka ankaŭ por tio!

Helka tuj ree paliĝis, malĝojiĝis kaj, sin kovrante per la pelto, foriris al la forno. Wicek kaptis la koverton kaj legis al Marylka la adreson, skribitan sur ĝi, Kasia dormetis sur la benko, kun la kapo metita sur la genuoj de la patro. Jan, prenante la bankan bileton el la mano de la edzino, komencis kun ŝanceliĝo en la voĉo:

—Eble··· ni konservu por ŝi··· por la tempo estont a··· Por dudek kvin rubloj ni povas nutri la infanon, kaj la ceteraj··· kolektiĝu···

—Kolektiĝu la ceteraj — respondis Janowa, medite apogante la mentonon sur la mano — sed, Jan, ne forgesu, ke oni devus nun aĉeti iom da vestoj por ŝ i···

—Vestojn? sed oni ja permesis al ŝi kunpreni la tutan vestaron···

—Bona vestaro! Ĝi taŭgis por la palaco, sed ĉi ti e··· Ĉio estas tiel maldika, delikata··· ĉu mi povas lavi tian tolaĵon··· Pasis apenaŭ unu vintro, kaj en la kofro restis nur ĉifonoj.

—Bone, do ni aĉetu. Sed, virino, faru neniajn

malŝparojn por ĉi tiu infano··· ŝi estu vestita kiel niaj··· kaj se restos iu groŝo, konservu ĝin por ŝi por la tempo estonta···

—Kiel niaj infanoj, vi diras! Sed ŝi estas tiel delikata! Se ŝi faras unu paŝon sur la planko per nuda piedo, ŝi tuj komencas tusi. Se ŝi portas ĉemizon dum tri tagoj, ŝi ploras. Mi demandas: kial vi ploras? "La ĉemizo estas malpura!" — diras ŝi.

La tutan tagon ŝi sin lavas, kombas en la anguloj, kvazaǔ katino···

—Ŝi kutimos — konkludis Jan, tamburante sur la tablo per la fingroj — ŝi kutimos···

Dum la interkonsiliĝo de la masonisto kun la edzino pri Helka, la infano staris antaǔ la forno kaj per la senbrilaj okuloj rigardis la estingiĝantan fajron. Oni povis vidi, ke ŝi profunde meditas pri io; post momento, kvazaǔ farinte kategorian decidon, ŝi returnis sin kaj, senbrue malferminte la pordon de la vestiblo, ŝteliris el la domo··· En la strato estis multe pli lume ol en la domo, tamen la tago jam griziĝis, kaj la malvarma nebulo de la marta pluvo plenigis la aeron per penetranta malvarmo. En la nebulo, ĉe la randoj de la stratetoj kaj stratoj konataj de ŝi, Helka glitis en la komenco rapide, poste pli kaj pli malrapide. Dum momentoj, tre laca, ŝi haltis. En ŝia malvasta brusto mankis la spiro, la piedoj malbone vestitaj laciĝis; kelke da fojoj ŝi eksplodis per raǔka tuso. Tamen ŝi iris kaj iris, ĝis fine. ŝi atingis la eksterurban straton, ĉe kies komenco, inter la arboj, nun senfoliaj, staris la somerdomo de sinjorino Evelino. Ŝi proksimiĝis al la feraj kradoj kaj rigardis en la ĝardenon! Ŝi iris antaŭen, al la pordego. En la pordego

En la pordego la pordeto estis malfermita. Tie, en la profundo de la korto, brilis fajro en du fenestroj de la flanka konstruaĵo, kie estis la loĝejo de la pordisto. Kredeble oni kuiris tie la vespermanĝon.

Antaŭ la flanka konstruaĵo la pordisto dishakis lignan ŝtipon en splitojn. Estis silente kaj senhome. La batoj de la hakilo malakre kaj unutone sonis en la pluva nebulo, el la lada pluvtubo fluis sur la pavimon de la korto mallarĝa akva strio kun unutona murmuro. Helka proksimiĝis al la muro de la palaceto kaj eniris en la ĝardenon tra seka sablita vojeto. Tie ŝi haltis antaŭ la ŝtuparo de la alta balkono, sur kiu sinjorino Evelino kutime sidis la tutajn somerajn tagojn. Nun la ŝtuparo, balkono kaj benkoj, ĝin ĉirkaŭantaj, estis kovritaj de pluvo. Helka komencis supreniri la ŝtupojn; la akvo plaŭdis sub ŝiaj parizaj botoj. Subite ŝi ĝoje ekkriis kaj per ama gesto etendis ambaŭ manojn. El sub benko, el angulo de la balkono. kie li kuŝis kuntiriĝinta kaj simila al silka volvaĵo, trempita en koto, Elf sin ĵetis al ŝi kun akra pepanta bojado. Li ne rekonis ŝin en la unua momento, ĉar liaj longaj haroj, malsekaj, implikitaj, preskaŭ tute kovris liajn okulojn. Sed kiam ŝi ekparolis al li kaj sidiĝis antaŭ li sur la malsekaj tabuloj, li saltis sur ŝiajn genuojn, kaj pepante de ĝojo, komencis leki ŝiajn manojn kaj vizaĝon. La estaĵo ankaŭ estis malgrasiĝinta, glaciiĝinta, kredeble malsata, malpura⋯

—Kara Elf! Elf! Mia amata, mia ora hundeto.

Ili karese sin premis unu al la alia kaj sin kisis. — Elf! Kie estas la sinjorino? Kie estas la sinjorino?

Forestas nia sinjorino, forestas, forestas!

Ŝi leviĝis, kaj portante la hundon en sia ĉirkaŭpreno, proksimiĝis al unu el la fenestroj, rigardantaj la balkonon. Ŝi sidiĝis sur la benko, sed tuj ŝi salte leviĝis.

—Ni rigardu tra la fenestro, Elf! Ni vidos, kio okazas en la ĉambroj⋯ Eble tie estas la sinjorino⋯ eble ŝi vokos nin⋯

Ŝi ekgenuis sur la benko. La akvo, abunde amasiĝinta sur la konkava tabulo de la benko, plaŭdis sub ŝiaj genuoj. Ŝi ne atentis tion.

—Rigardu, Elf, rigardu!

Ŝi levis la hundon kaj apud sia vizaĝo alpremis la krispan kapon al la fenestra vitro.

—Vi vidas, Elf⋯ Ĉio estas, kiel iam⋯ la puncaj flankaj kurtenoj, tiel belaj⋯ kaj tie la granda spegulo, antaŭ kiu la sinjorino iufoje vestis min⋯ kaj tie⋯ tra la malfermita pordo oni vidas la manĝoĉambron⋯ Ŝi eksilentis; ŝi manĝegis per la

okuloj ĉion, kion ŝi povis rimarki en la interno de

la loĝejo.

—Ĉu vi vidas, kara Elf, la balancantan seĝon··· kiel komforte oni sidas sur ĝi··· Iufoje mi sidis kaj balancis min··· tutan horon··· kaj mia pupo, la granda, sin balancis kun mi···

Elf laciĝis de la nekomforta situacio, elglitis el sub ŝia brako kaj falis sur la benkon. Deglitis sur ĝin ankaŭ baldaŭ la knabino.

—Ah, kara Elf! Vi kaj mi··· estis iam tie···

Ŝi sidis en la akvo. Ŝia vesto estis tiel saturita de la malsekeco, ke ŝi sentis malvarmajn fluojn sur la dorso. Ŝiaj piedoj, preskaŭ nudaj en la parizaj botoj, rigidiĝis. Tamen ŝi sidis kaj premis karese al sia brusto la malgrasan, malsekan Elfon, kiu de tempo al tempo lekis ŝiajn manojn.

—Kara Elf, tie, kie nun estas tiom da koto, somere estas herbo, sur kiu tiom, tiom da fojoj mi sidis kun la sinjorino kaj kunmetis bukedojn. Ĉu vi memoras, Elf, Italujon? Estis mi, kiu petis la sinjorinon, ke vi veturu kun ni! Kiel bele estas tie, ĉu ne vere? Varme, verde··· la suno tiel lumas··· la safira ĉielo, super la maro flugas tiel grandaj, blankaj birdoj··· Kaj ĉu vi memoras, kiel timis fraŭlino Czernicka navigi sur la maro? Kie estas nun fraŭlino Czernicka? Ŝi forveturis kun la sinjorino. Kaj ni, kara Elf, plu neniam forveturos kun la sinjorino···neniam··· neniam···

Peza, ŝtona dormemo ekregis ŝin. Ŝi klinis la

kapon al la dorso de la benko kaj ekdormis, ĉiam forte tenante ĉe la brusto la dormantan hundon. Fariĝis pli kaj pli mallume; eksilentis la hakilo de la pordisto, en la fenestroj de la flanka konstruaĵo estingiĝis la brilo de la fajro, eta, densa pluvo senĉese falis senbrue sur la teron, kaj nur ĉe la anguloj de la palaceto el la pluvtuboj fluis kun unutona murmuro mallarĝaj akvaj strioj.

Ĉirkaŭ la noktomezo la masonisto Jan vekis per frapoj la pordiston kaj ricevis respondon, ke efektive li vidas de tempo al tempo la infanon, kiu forlasis vespere lian domon. Jan supreniris kun lumigita lanterno la balkonon kaj apud unu el la benkoj haltis, kvazaŭ ŝtonigita. Li staris, rigardis, balancis la kapon kaj, oni ne scias kial, frotis la okulojn kvazaŭ nevole per sia dika mano. Post momento li levis per siaj fortaj brakoj la knabinon, kiu vekiĝinte, dormema, ploranta kaj malforta mallevis sian febre ruĝan vizaĝon sur lian brakon. Li portis ŝin malsupren de la balkono kaj per rapidaj paŝoj iris kun ŝi hejmen. Prenante la knabinon, li ĵetis for hundon, kiu dormis sur ŝia brusto. La hundo silente iris ree sub la benkon kaj, malĝoje sopirante, sin kunvolvis sur la malseka planko de la balkono.

第三章

已经过去半年自从埃维丽娜夫人的真正离开，
她在奥格罗德的著名艺术家的离开之后很快就
离开了这座城市。在这个阴沉的灰色天空中，
一场密集的春雨无声地倾泻下来，尽管太阳下
山还有一个多小时，但在瓦尔特·扬的低矮小屋
里已经变得昏暗。

在这阴沉多雨的春日里，两扇小窗几乎贴近地
面，吝啬地照亮了相当宽敞的房间，房间有着
低矮的木梁天花板，墙壁上覆盖着变黑且粗糙
的灰泥，地板是黏土铺成，有一个用于烘烤面
包和煮饭的大炉子，占据了房间几乎四分之一
的空间。炉子很大，但在古老、低矮、窄窄的
墙壁之间，人们可以感受到积聚的霉味和潮湿
。此外，在墙边有几张长凳，几把黄木椅子，
一张带有神圣图案的小柜子，两张简单的矮床
，一个装有水的桶和一个装有酸菜的桶，以及
靠近炉子的一扇狭窄且低矮的门通往主人的小

卧室。

现在，瓦尔特·扬的家人聚集在狭小的房间里，坐下来吃晚饭。瓦尔特，一个身材魁梧、浑身泥灰和石灰的硬朗男人，头发浓密得像一片森林，刚从工作中回来，脱掉围裙，擦掉了身上沾满泥浆和石灰的手，坐在桌子旁穿着厚实衬衫和松紧袖口。

亚诺瓦，赤脚，穿着短裙和一件十字绣在胸前的厚围裙，浓密散乱的头发披在背上，点燃了炉子深处的大火，正在那里烤玉米面包。在墙边的床上，坐着一群孩子，快乐地聊天。他们共三个：一个十二岁的男孩，身材壮实，头发浓密直立，像父亲一样，还有两个女孩，八岁和十岁，赤脚，穿着长及地板的裙子，但面红耳赤，笑声充满了整个房间。这些笑声来自维切克，他躺在床上，用赤裸的脚奇怪地挠痒，向他们讲述他在今年初就读的学校里经历的冒险故事。直到亚诺瓦点燃了火，房间里似乎只有父母和三个孩子。但当火光照亮房间对面阴暗的角落时，又出现了一个小人物，坐在另一张床上。那是一个大约十岁的女孩，她的脸和衣服在火光的照射下昏暗而闪烁，几乎到达角落。人们只能看到她坐在床上，把腿盘在身下，躲藏在最深的角落，因寒冷而紧缩。她身旁闪烁着青铜色的钮扣，点缀着一个小而优雅的盒子，从盒子里不时取出各种小物件。从她的手势中可以猜测，这个躲避寒冷的生物正在用一把象牙梳仔细梳理自己的头发，火焰有时而会在她的头发中闪耀出金色的光芒。有一次，一面镶银的镜子也在闪烁...

"潘乔，潘乔！"两个女孩中较小的一个在床上喊道，"赫尔卡再次梳理她的头发，然后照着镜子看..."

"她今天已经梳了三次了，还洗了两次手指甲。"较大的女孩不屑地说道。

"真是个优雅的小姑娘！玩偶！"男孩补充道，"她能不能像我们一样在水盆里洗澡...她把毛巾浸湿，擦拭着脸...我要打破她的镜子，看看她会怎么做！"

然后，三个孩子用赤脚踩踏着地板，突然冲向了黑暗的角落。

"给我镜子！给我！给我！"

两只小手，白得像面包，无声地伸出从阴影中，将镜子递给了请求者。孩子们抓住了镜子，但还不满足，他们从床上拿起了一只英国皮革盒，围坐在地上开始翻看镜子、刷子、空瓶香水和肥皂盒，或许已经看了上百遍。

与此同时，亚诺瓦并没有关注孩子们的叫喊和笑声，甚至可能被他们逗乐了，与丈夫谈论他今天的工作，邻居给她带来的烦恼，还有今天没有去学校的维切克。

然后，她端来一盘冒着浓烟的菜肴，叫孩子们吃晚饭。

他们根本不需要再次喊叫。维切克和玛丽卡一跃而至，坐在父亲身边，每人搂着他的一只胳膊。凯西娅则跳到桌子旁，紧紧抓住母亲的裙摆，走向桌子，切下一大块黑面包。亚诺瓦则回到了角落。

"赫尔卡！"她说道，"你为什么不来吃饭呢？"

赫尔卡从床上下来，当她走向家庭餐桌时，她纤细的身影，被充分照亮，与周围环境形成了奇怪而尖锐的对比。瘦削而过高的个子似乎超过了她的年龄，她穿着一件蓝色缎子皮袄，周围缝制着天鹅绒。

缎子仍然新鲜闪亮，但羊毛，曾经雪白，现在看起来好像被从炉灰中拔出。皮袄，已经对于她的年龄太短，勉强达到她的膝盖；下面，她长长的瘦腿几乎被薄如蛛网的袜子部分覆盖，还有一双高筒靴，系着一排闪亮的钮扣，但有个洞眼，透过它可以看到几乎赤裸的脚。她那长而细的脸，带有大大的凹陷眼睛，被火红的头发环绕，精心梳理并用昂贵的丝带系着，毫无疑问是全新的。在矮矮的、昏暗的墙壁间，在穿着厚重服装的赤脚儿童中，她的服装、她细腻的面容、动作和手势，使她与背景产生了深刻的不协调。有一会儿，只听到盘子碰撞和五个嘴巴吃着腌肉和黑面包的声音。赫尔卡也在吃，但缓慢、优雅吃的很少。她几次将面包和腌肉举到嘴边，然后把勺子放在桌子上，静静地坐着，双手交叉在膝头上，挺直在椅子上，身材高大，穿着巴黎制作的靴子，脚没有着地。

"你为什么不继续吃呢？"亚诺瓦转向她。

"谢谢，我不想再吃了。"

她回答道，因寒冷而颤抖，尽可能地用缎子皮袄覆盖自己，但太窄太短了。

这段文本似乎是来自某个文学作品或者剧本，描述了一个家庭中的一些对话和情景。以下是这段文本的翻译：

"这个孩子的生活状况，我真的不知道！"亚娜娃注意到说道。"如果我不每天给她煎一小块肉，她早就因饥饿而死了。她甚至从来都吃不完那肉。"

"嗯，"

Jan 冷漠地说道，"她似乎习惯了，习惯了......"

"她总是感到寒冷，非常寒冷......我们的孩子们在院子里赤脚穿着短衬衣奔跑，而她在这间房间里靠近炉子，裹着像毛皮一样的东西不停地发抖着......"

"嗯，"石匠重复道，"她曾经习惯......"

"当然！"

亚娜娃点头，"但现在看她就令人怜悯......我经常给她温暖的毛毯和茶水。"

"你做得很好，"

砖瓦工点头说，"毕竟是有人为她付钱给我们的......"

"是的，确实有报酬，但不足以让我们把我们的贫困变成她的富有......"

"多余的事情，她已经习惯了。"

Wicek 和 Marylka

还在不停地吃面包和炸面团。Kasia 取笑他们并阻止他们继续吃。石匠用衬衫袖子擦嘴，开始询问儿子在学校的学习和行为表现；在旁边的房间里有一个几个月大的婴儿在哭泣。亚娜娃拿着盘子、勺子和一半面包圈往炉子走，然后转向赫尔卡。

"去吧，去哄哄
Kazio，给他唱歌，你知道该怎么做......"
她用一种柔和得多的声音下达命令，比她对自己孩子说话时还要柔和。
赫尔卡，用轻盈而优雅的步伐悄无声息地进入了房间，与砖瓦工的孩子们活泼而沉重的步伐完全不同，几乎是在黑暗中。片刻后，摇篮的轻微摇动声伴随着一抹微弱但清澈而悲怨的婴儿声音。她只会唱法国歌曲，但她记得很多。法国歌曲总是引起砖瓦工家庭的赞叹，也许主要是因为他们无法理解它。
孩子们也安静下来了。石匠用双肘支撑在桌子上，亚娜娃在炉子旁洗碗，两人都保持沉默。
在黑暗的房间里，摇篮轻轻摇动，那纯净而悲伤的婴儿声唱着那首法国歌曲，慢慢地：

Le papillon s'envola.
La rose blanche se feuilla.
La la la la la la...

亚娜娃走到桌子旁，石匠抬起头。他们相互对视，摇了摇头，然后微笑起来，有点讽刺，有点悲伤。

石匠从胸前口袋里拿出一封打开的信封，扔到桌子上。

"这里！今天我遇到了Krycka夫人的庄园管理员。他想要来我们家，但看到了我，叫住了我，交给我这个..."

亚娜娃用她粗壮的手指，带着明显和深深的尊重，从信封里拿出一张价值二十五卢布的银行票据，代表着夫人埃韦林承诺每年为赫尔卡的饮食和教育支付一半直到她成年。

"然而，"

亚娜娃开始说道，"她寄来了...上帝保佑...我本以为..."

她突然停下了，因为在她身旁，站在桌子旁的赫尔卡。从黑暗房间里，她看到了当泥水工把装有钱的信封递给他的妻子时，她看到了她以前的保姆的名字。她以前的生活瞬间回来了，她从亚娜娃的床上跳了起来，旁边有摇篮，跳到了桌子旁，脸红着，眼睛闪亮着，笑着、颤抖着，但是出于激动，而不是寒冷。

"来自夫人！"她喊道，"来自夫人...她...她..."

她突然喘不过气来。

"夫人写了关于我什么吗？"

Jan和亚娜娃再次相互看了一眼，摇了摇头，然后笑了起来。

"噢，你这愚蠢的孩子！夫人写了关于你吗？多么荒谬的想法！她为你寄来了钱。你也要对此表示感激！"

赫尔卡立刻脸色又苍白了，失望了，用披风遮住自己，走向炉子。Wicek抓起信封，读给Marylka信封上写的地址，Kasia睡在长椅上，头枕在父亲的膝盖上。Jan从妻子手中接过银行票据，开始颤抖地说道：

"也许...我们为她留着...以备将来...用二十五卢布我们可以养活这个孩子，而其他的..."

"其他的留起来吧。"

亚娃娜回答道，沉思地用手扶着下巴，"但是，石匠，别忘了，我们现在应该给她买些衣服..."

"衣服？但她已经带着所有的衣服一起来了..."

"好的衣服！那适合宫殿，但在这里...一切都如此脆弱，细腻...我怎么可能洗这样的细布料...才过了一个冬天，箱子里只剩下些抹布了。"

"好吧，我们就买吧。但是，老婆，请为这个孩子不要吝啬...让她穿得像我们的孩子一样...如果还有剩余的钱，为她留着以备将来..."

"像我们的孩子一样，你说！但她是如此娇贵！

如果她赤脚在地板上走一步，她立刻开始咳嗽。如果她穿衬衫了三天，她会哭泣。我问：你为什么哭？'衬衫脏了！'她说。"

整天她洗澡，梳理角落，就像一只猫一样...

"她会习惯的。"

石匠总结道，用手指敲击着桌子，"她会习惯的..."

在石匠和妻子商议赫尔卡的事情时，孩子站在火炉前，用无神的眼睛盯着熄灭的火焰。可以看出，她在深思着什么；过了一会儿，仿佛做出了决定，她转身，悄悄打开门口的门，悄悄溜出了房子...在街上比屋内更亮，但天色已经灰暗，三月雨的凉气填满了空气。在雾气中，在她熟悉的街道和小巷的边缘，赫尔卡开始快速地滑行，然后慢慢地走。在极度疲惫的时刻，她停了下来。她的狭窄胸膛缺乏气息，穿着破旧的鞋子的脚疲惫不堪；她几次发出沙哑的咳嗽。但她一直走着，直到最后。她到达了郊外的大街，在那条街的开头，树木间，现在光秃的，站着埃韦林夫人的夏季小屋。她走近铁栅栏，向花园里张望！她走向大门。在大门口...

在门口，小门被打开着。在庭院的深处，侧楼的两扇窗户里闪烁着火光，那里是门房的住所。可能是在那里准备晚餐。门房在侧楼前摇动着木柴。一切都安静而无人。斧头的敲击声在雨雾中不清晰而孤独地响着，从铁皮水管上流下一条狭窄的水带，发出单调的低声。赫尔卡走近小别墅的墙壁，穿过干燥的沙石小径进入花园。她停在高阳台的台阶前，那里通常是埃韦林夫人整个夏天的日子坐着的地方。现在台阶、阳台和周围的长椅都被雨水淋湿了。赫尔卡开始往上走台阶；水在她的巴黎靴下拍打着。突然她高兴地大叫并用亲热的手势伸出双手。从长凳下面，从阳台的角落，Elff从泥泞中爬了出来，像是被浸泡在泥里的丝绸一样，他的长发潮湿，缠绕在一起，几乎完全遮住了他的双眼。但当她开始对他说话并坐在他面前的湿漉漉的木板上时，他跳上她的膝盖，高兴地咿呀着，开始舔她的手和脸。这个生物也变得瘦弱，冰冷，可能是饥饿、肮脏的...
"亲爱的埃尔夫！埃尔夫！我的可爱，我的金色小狗。"　　　他们亲密地拥抱着对方，亲吻着。"埃尔夫！　　主人在哪里？　　主人在哪里？我们的主人不在，不在！"她起身，抱着小狗，走向一个窗户，朝阳台看去。她坐在长椅子上，但又突然跳了起来。

她起身，抱着狗，走到一个窗户前，看着阳台。她坐在长椅上，但马上又跳了起来。

-看看，埃尔夫！我们透过窗户看看，我们会看到房间里发生了什么...也许那里是女士...也许她会叫我们过去...
她跪在长椅上。水在凹凸的椅子桌面上积聚，她的膝盖下面发出了嘭嘭声。她没有注意到这一点。
- 看，埃尔夫，看！
她抱起狗，把它的脑袋紧贴在玻璃窗上，靠近她的脸。
-你看，埃尔夫...一切都还像以前一样...漂亮的红色侧帘...那里的大镜子，在那里女士有时候帮我穿衣服...还有那里...透过敞开的门可以看到餐厅...她停了下来；她用眼睛吃掉了她能在房间里注意到的一切。
-你看，亲爱的埃尔夫，那把摇椅...坐在上面是多么舒服...有时候我坐在上面摇晃...整整一小时...而我的大娃娃，那个大的，和我一起摇晃...
埃尔夫受不了不舒服的情况，从她的胳膊下溜走，摔到椅子上。不久，女孩也滑到椅子上。
- 啊，亲爱的埃尔夫！你和我...曾经在那里...
她坐在水里。她的衣服被浸湿到了极点，她感觉到背部有冷风吹过。她的脚，几乎赤裸在巴黎的靴子里，变得僵硬。然而她坐着，把湿漉漉的埃尔夫紧紧抱在胸前，埃尔夫不时舔舐她的手。

-亲爱的埃尔夫，在那里现在有这么多泥泞，夏天那里长满了草，我曾经和女士坐在那里，摆弄花束。你记得吗，埃尔夫，意大利？是我请求女士让你和我们一起去的！那里是多么美好，不是吗？温暖，绿意盎然...太阳如此照耀...碧蓝的天空，海面上飞着如此巨大，洁白的鸟...还记得吗，丝彩尼卡小姐害怕在海上航行吗？现在丝彩尼卡小姐在哪里？她随着女士离开了。而我们，亲爱的埃尔夫，再也不会和女士一起出行了...永远...永远...

极度的，石头般的困倦向她袭来。她将头靠在长椅的背上，开始入睡，紧紧抱着睡着的狗。夜色变得越来越深；门房看守的斧头声消失了，在侧边建筑的窗户里，火光也熄灭了，一场小雨无声地不停地落在地面上，只有在小宫殿的角落，雨水管里发出着单调的不大的水流声。

大约午夜时分，石匠亚恩被门房的敲击声惊醒，他得到了肯定的答案，他准确地看到了那个孩子，那个在傍晚离开了他的家的孩子。亚恩拿着点亮的灯笼上了阳台，在其中一张长椅旁停了下来，仿佛石化般。他站着，注视着，摇摇头，不知为何，用他那粗壮的手无意中擦了擦眼睛。过了一会儿，他用他坚实的臂膀把醒来、疲倦、哭泣、虚弱的女孩抱起，她把发红的发烧的脸贴在他的臂膀上。他把她从阳台上抱了下来，快步带着她回家。抱起女孩时，他把睡在她胸前的狗丢开。那只狗默默地回到长椅下面，悲伤地叹息着，缩成一团躺在阳台潮湿的地板上。(終)

Pensado post traduko

Ĉi tio estas mia tria novelo tradukita el Esperanto al la ĉina. Mi daŭre dankas la korean esperantiston Ombro (JANG Jeong-Ryeol) por lia kuraĝigo kaj subteno, kio ebligis min fini tiujn tri taskojn.

Mi devas klarigi, ke la unuaj du libroj estis mia propra laboro, dum la plejparto de la laboro por la tria estis farita de AI(Artefarita Intelekto). Mi nur korektis la tutan verkon kaj modifis tradukojn, kiuj ne estis kongruaj kun la ĉina kutimo aŭ ne estis ĝustaj.

Arterfarita Intelekto(AI) progresas per nerealebla rapideco kaj estas ŝanĝanta kaj partoprenanta en la vivo de homoj. En la tradukado, ĉe kia nivelo AI povas anstataŭi homojn, eĉ farante tion pli bone ol homoj. Estas malfacile antaŭdiri: Ĉu ni ankoraŭ bezonas lerni fremdajn lingvojn, aŭ ankoraŭ scii pri aliaj kulturoj kaj eĉ la necesajn ilarojn kaj kapablojn por komunikado inter parolantoj de diversaj lingvoj, estas defio por ni. Ĉu la celo kaj tasko de Esperanto, la ideala lingvo helpanta homojn, ankoraŭ devas ekzisti kaj lerni, ni ne scias. Mia pozicio estas, ke ni homoj devas progresi paŝon post paŝo, almenaŭ nun, la lernado de fremdaj lingvoj, la lernado kaj disvastigo de Esperanto estas tute necesaj.

Tiu ĉi fojo, traduki tiun ĉi novelon uzante AI estis praktiko de la uzado de AI, kiu ebligis al mi multe ŝpari tempon kaj rapide prezenti la ĉinan version de tiu ĉi novelo al la legantoj, kiuj ŝatas kaj uzas la ĉinan. Mi esperas, ke vi ĝuos kaj faros valorajn proponojn. Aliaflanke, mi ne scias kian influon ĉi tio havos sur mian propran lernadon de Esperanto, sed mi daŭros serioze studi Esperanton, uzi Esperanton, kaj interagi kaj komuniki kun aliaj lernantoj kaj uzantoj de Esperanto, por sperti kaj senti la belecon de vivo kaj la miraklojn de la mondo.

Dankon.

Zhang Wei

2024.3.23 en Dandong

(Tel. 13904158140,
Posxadreso: 790862338@qq.com)

译后感言

这是我从世界语翻译成中文的第三本小说了，一如既往的感谢韩国世界语者Ombro（張禎烈）先生的鼓励和支持，才使我完成了这三次工作。

要说明的是头两本书都是我自己努力完成的译作，第三本的大部分工作都是AI完成的，我只是对全书进行了校对，和不符合中文习惯或者不妥当的译文进行了修改。

人工智能正在以人们不可想象的速度发展并且正在改变和参与人类的生活，在翻译方面，AI在多大成面能够代替人类，甚至比人类做的还要好，我们还很难预测；对于外语我们是否还需要学习，是否还是了解外国文化，甚至是不同语言者之间的交流的必要工具和技能，对我们提出了挑战。对于世界语这一理想中的人类辅助语的目标和任务是否还有必要存在和学习，我们不得而知，对此我的态度是我们人类只能走一步看一步，至少在目前，外语的学习，世界语的学习和推广还是完全有必要的。

这次利用AI翻译这本小说是一次利用AI的实践，它让我节省了很多时间，速度很快的将这本小说的中文版呈现给了喜欢和使用中文的读者，希望大家喜欢并且提出宝贵的意见，另一方面对于我个人的世界语学习会造成什么影响，我还不得而知，但我会一如既往的认真学习世界语，使用世界语，用世界语与其他的世界语学习和使用者进行更深入的交往和交流，体验和感受人生的美好和世界的奇妙。

谢谢。

张伟

2024.3.23.于丹东

（联系电话：13904158140，
电邮：790862338@qq.com）